HELPING
私たちは子どもに何ができるのか
非認知能力を育み、格差に挑む
CHILDREN

ポール・タフ 高山真由美［訳］ 駒崎弘樹［日本語版まえがき］

SUCCEED
What Works and Why
Paul Tough

英治出版

人生のスタートを切ったばかりのチャールズへ

HELPING CHILDREN SUCCEED

by Paul Tough

Japanese translation published by arrangement with
Paul Tough c/o McCormick Literary
through The English Agency (Japan) Ltd.

日本語版まえがき

低所得のひとり親の支援を始めて、もう一〇年くらいになるだろうか。

先日、ある区の担当者の方から、こんな話を聞いた。

「この前、あるひとり親のお宅に訪問したんですね。

三歳の男の子と母親の二人で暮らしているのですが、お母さんに心の病気があって、お部屋はゴミ袋が散乱して、足の踏み場もないくらい散らかってしまっていたんです。そんなお部屋の中でも、お子さんは楽しそうに遊んでいたんですが、何度も耳を触るしぐさをするんです。おかしいな、と思って耳の中を見てみたら……。

そこにゴキブリがいたんです。

ゴキブリは前には進めるけど、後ろには進めないそうで、耳の中に入ったままになっていたようです……」

この話を聞いて僕は、同じ年頃の息子の顔と、その見も知らぬ男の子の顔が重なり、不覚にも涙してしまった。

「平成二八年 国民生活基礎調査」によると、日本の子どもの貧困率は、約一四％。七人に一人の子どもが、貧困ライン以下の生活をしている。

しかし、周囲からその状況は見えづらいのが特徴だ。隣の家のゴミだらけの部屋で子どもが遊んでいたとしても、誰も気づかない。

それでは、私たちに何ができるのだろうか？

非認知能力の大切さと、それを奪うもの

近年、教育分野では「非認知能力」の育成に高い関心が集まっている。子どもがよりよい人生を歩むうえで、これまで重視されてきたＩＱや学力などの「認知能力」よりも影響力が大きいことが、明らかになりつつあるからだ。

非認知能力とは、ひとつのことに粘り強く取り組む力や、内発的に物事に取り組もうとする意欲などを指す。心のＯＳ（オペレーティングシステム）と言っても良

図　40歳時点調査における公的部門に対する費用対便益分析の結果

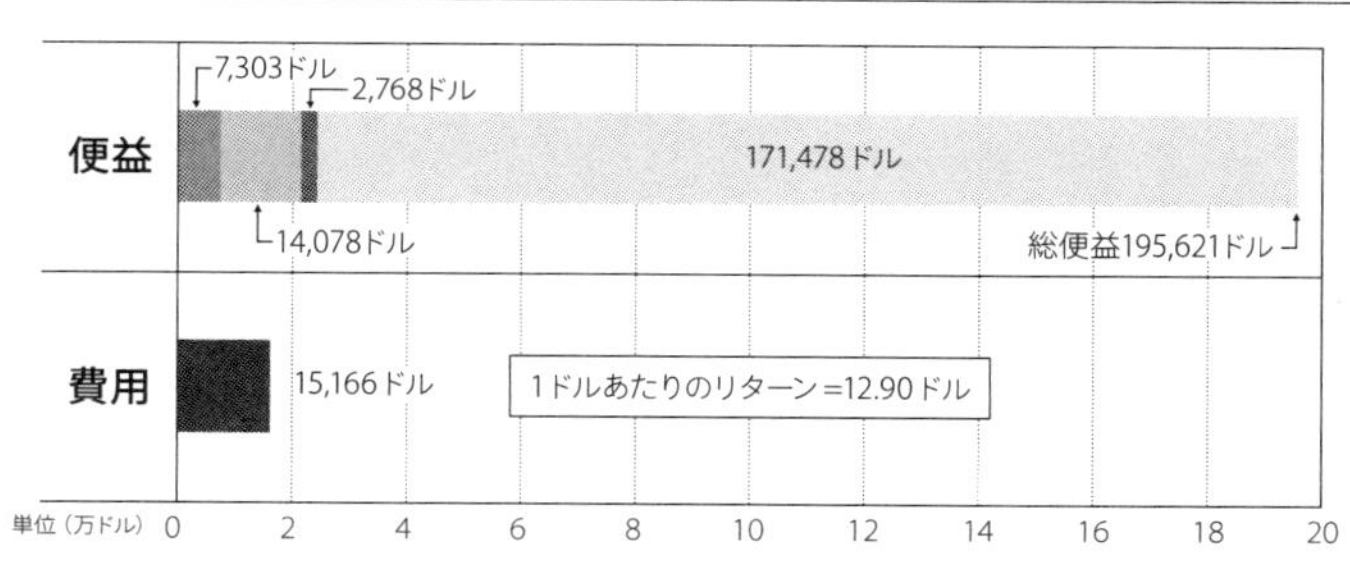

Lawrence J. et al. "The High/Scope Perry Preschool Study Through Age 40: Summary, Conclusions, and Frequently Asked Questions" (High/Scope Press, 2005) より編集.

いかもしれない。

　ノーベル経済学賞受賞のヘックマンが研究した「ペリープロジェクト」が有名だが、就学前に良質な保育・教育を受けた子どもは、成人後に高校卒業率が高く、犯罪率が低く、生活保護率が低く、年収が高かった。つまり、子どもの期間、特に就学前に適切な環境と関わりを持つことは、子どもたちの非認知能力の育成、ひいてはその後の人生にも決定的に重要な意味を持つのだ。

　非認知能力に焦点を当てた早期教育の、子ども一人あたりの投資対効果（納税額の増加や犯罪コストの低下）は一三倍というデータもある（上図）。非常に高い効果を生むことが分かるだろう。

一方で、本書でも指摘されているように、子どもの貧困は、一生の財産になる非認知能力を獲得する機会を奪い取ってしまう。それは単なる家庭の問題だけではなく、保育園・幼稚園や学校、地域社会で、周囲の大人たちがどのように子どもと接するかによっても大きな影響を受ける。

非認知能力を育まれる機会を逃した子どもは、大人になった後に仕事や生活面でより多くの機会を失う可能性が高い。結果として、自身も貧困に陥ってしまう。

これが、貧困の連鎖を生むのだ。

本書をどう活かせるか

ではどうしたら良いのか。その答えへの扉が、本書の中にある。

子どもの貧困率が日本の四倍近い五〇％という状況にあるアメリカでは、長年にわたってさまざまな取り組みがなされている。数々の事例と、そこから得られた最新の知見が本書にある。

本書は子どもに関わる全ての大人に読んで頂きたい。いや、読まなくてはいけない。

なぜなら、このままだと日本の貧困率は今のアメリカの状況に、まっすぐに進んで行ってしまうからだ。

世界各国でおこなわれた貧困問題への意識調査で興味深いデータがある（The Pew Global Attitudes Project、二〇〇七年）。「自力で生きていけないようなとても貧しい人たちの面倒をみるのは、国や政府の責任である。この考えについてどう思うか？」という問いに対し、「そう思わない」と答えた人は、中国ではわずか九％、イギリスでは八％、ドイツでは七％の人だけだった。つまり、これらの国々ではほとんどの人が、貧しい人の支援を政府が行うべき、と考えていることが分かる。

しかし、日本では「そう思わない」と答えた人が三八％。諸外国の五倍近く。アメリカですら二八％だというのに。

貧困に冷たい我が国は、貧困は自己責任だと突き放し、そして結果として、自己責任なんて持ちようがない子どもたちの間に貧困が広がることを、放置してしまっている。

日本をアメリカのような子どもの貧困が蔓延する状況にしてはいけない。そのためにも、この本は読まれねばならない。
そして行動しなくてはいけない。私たちの愛する、子どもたちのために。

フローレンス代表理事
駒崎弘樹

私たちは子どもに何ができるのか◆目次

編集部注

・登場人物の肩書きは原書執筆当時のもの。
・原注、図表出典は巻末に記載。なお、原注と図表は原書ＰＤＦ版のものを利用した。
・理解を深める一助として、原書にはない改行、太字、傍点の処理を施した。
・「非認知能力」の表記について：著者の前著『成功する子　失敗する子』（英治出版）では「非認知的スキル」で統一したが、本書では、「スキル」という表現が誤解を招くという著者の問題意識に鑑みて、一部文脈に応じて「非認知スキル」を用いた以外は、一般的に多用されている「非認知能力」で統一した。
・未邦訳の書籍は、仮題のあとの括弧に原題を記載した。

1　逆境

二〇一三年、アメリカ合衆国における教育の状況は重大な段階に達した。史上初めて、公立学校に通う生徒の中で「低所得層」に相当する割合が過半数――正確には五一パーセント――に達したのだ。「低所得」とは、学校から昼食を支給されるか、昼食代の補助を受ける資格があることを意味する。これは何も、ひと晩で起こった変化ではない。南部教育基金が収集したデータによれば、公立学校において低所得層であるとされる生徒の割合は、一九八九年に基金が調査をはじめて以来、着々と増えつづけている[1]（当時は、低所得層の定義に合致する生徒の数は全体の三分の一より少なかった）。これが半数を超えるというのは一つの象徴に過ぎないかもしれないが、重要な意味を持っている。つまり、低所得層の子供の指導という難題が、もはやアメリカの教育において副次的な問題ではないということだ。貧しい子供たちの成功を助けることは、いまや公立学校の主要な使命であり、国民全員の責任でもある。

そして私たちは、この責任を果たせずにいる。アメリカ合衆国教育省の統計によれば、八年生（訳注／日本の中学二年生に相当）の読解と数学のテストの得点における低所得層の生徒と裕福な生徒の差は、ここ二〇年以上まったく縮んでいない（四年生ではここ二〇年のあいだに差が縮んでいるが、ほんの少しである）[2]。一方、高校三年時の大学進学適性検査（ＳＡＴ）における格差はここ三〇年以上広がりつづけており、一九八〇年代には八〇〇点満点で九〇点の差だったが、こんにちでは一二五点のひらきがある。[3] また、大学進学率においても、富裕層と低所得層の生徒のあいだの格差は急激に大きくなっている。[4] そして昨今では、大学を卒業できなければ、貧しい家庭の子供が貧困から抜けだすのはかなりむずかしい。所得区分の下位二〇パーセント、つまり世帯収入が年間二万一五〇〇ドルより少ない家庭で育った若者で、学士号を取得していない場合、最も収入の低い層から抜けだせるのは二人に一人である。[6]

ここ二〇年、富裕層の子供と貧困層の子供の成績格差を縮めることは、国の教育政策の中心的な関心事だった。ブッシュ政権下では「落ちこぼれゼロ」法（ＮＣＬＢ法）が、オバマ政権下では「トップへの競争」政策（ＲＴＴＴ政策）が施行された。にもかかわらず、格差は広がりつづけている。こうした行政の努力は、非営利団体――たいていは教育の不平等に対して声をあげつづけている、潤沢な資金を持った慈善家が後ろ盾の団体――によって支えられ、補完されてきた。もちろんこれまでにも、個別に見れば成功例もないわけではなかった。低所得層の一部の生徒が特別な教育を受けられる学校やプログラムもあった。だが、低所得層の子供たち全体の成績が改善したわけではなかった。

この差をどうやって埋めるのか、そもそもこうしたギャップは埋まるものなのかという

図1 アメリカの公立学校において、「低所得層」の生徒が増えてきている

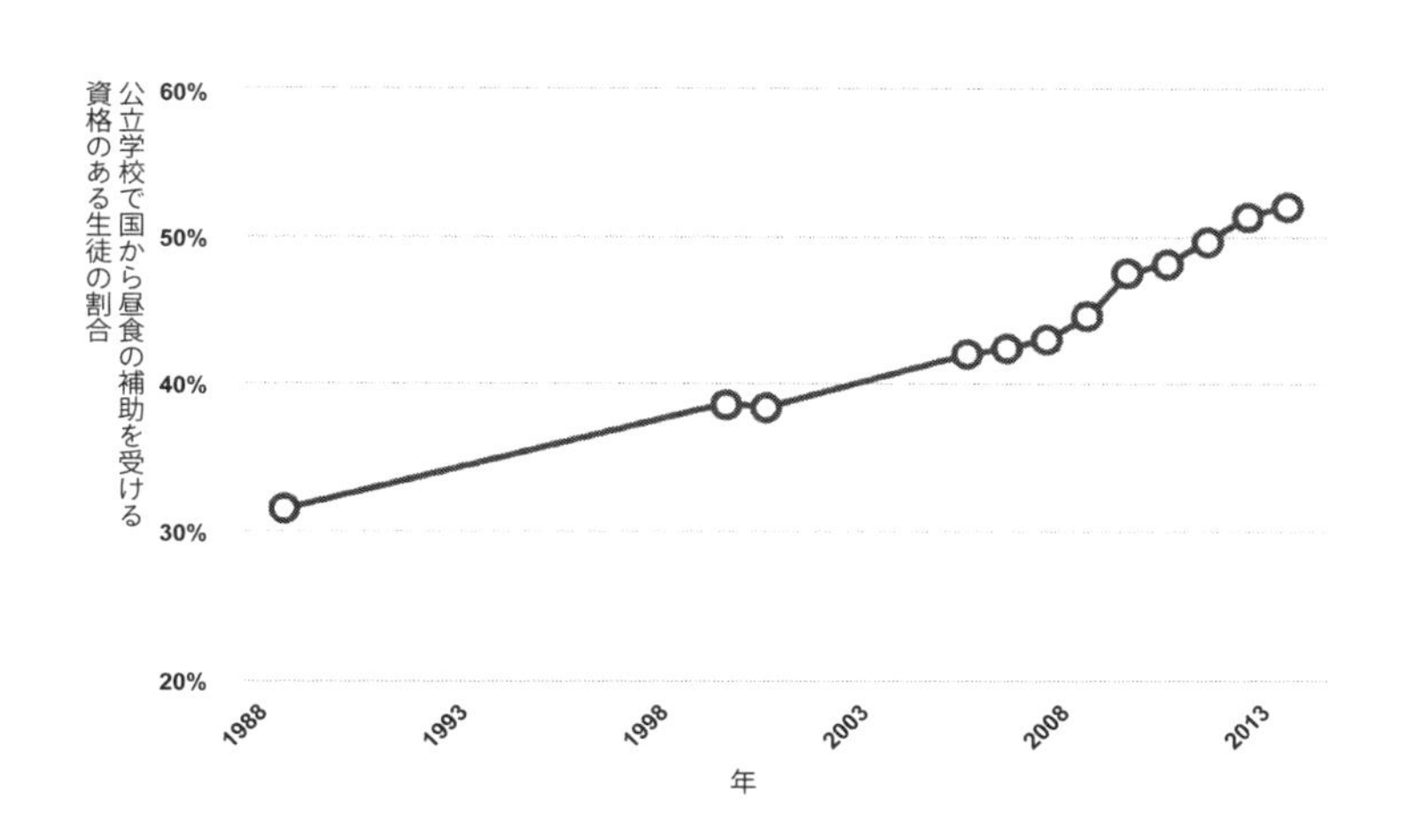

図2 学士号を持たない場合、ほとんど貧困から抜け出せない

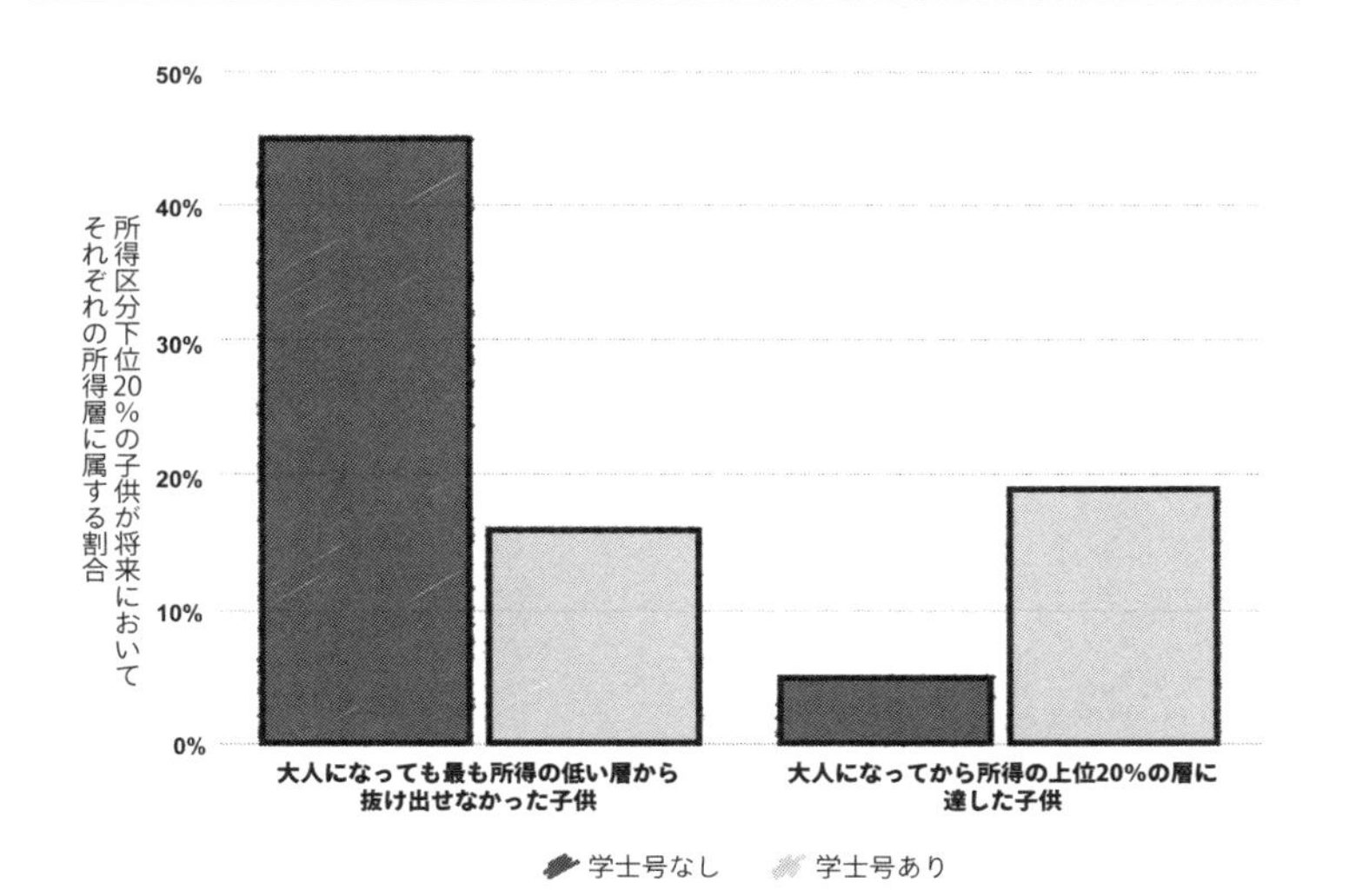

議論をしているのは、なにも政治家や慈善家だけではない。国じゅうの教師が逆境にある子供たちの苦闘を日々まのあたりにしているし、ソーシャルワーカーやメンター、小児科医など子供の支援に携わる人々、それに親たちも同様である。貧困や虐待などの逆境のなかで育った子供に対していくら支援の手を差し伸べても、その子供の不安を和らげたり、やる気を起こさせたり、気持ちを通わせたりすることはむずかしいのだ。ごく一部の生徒との関係では、こうした障壁を乗りこえることのできた教師は大勢いる。しかし私はここ何年かのあいだに、生徒相手の仕事によるストレスで燃え尽き、自暴自棄になりかけた教師も何百人も見てきた。

こうした教育上の格差を乗りこえようとすれば、多くの障害――経済的、政治的、お役所仕事的な障害――に直面することになる。だが、本書ではまず根本的な議論から入りたい。私たちは、子供の逆境の背後にあるメカニズムをまだ完全には理解できていない。貧困家庭に育つことの何が問題なのか？　何が多くの厄介な結果を生んでいるのか。こういい換えてもいい――豊かさのなかで育った子供にあって、貧しさのなかで育った子供にないものはなんなのか？

これは私が一〇年以上にわたって答えを出そうとしている問いである。最初の著書『どんな犠牲をはらおうと』（Whatever It Takes）では、劣悪な環境に置かれた子供たちを支援するニューヨークのＮＰＯ〈ハーレム・チルドレンズ・ゾーン〉の創設者、ジェフリー・カナダの活動に焦点を合わせ、居住地域が子供たちの将来にどんな影響を与えるか、貧困の過酷な地域に暮らした経験がいかに子供たちの可能性を制限するかを検討した。[7] 二番めの著書『成功する子 失敗する子』（英治出版）では、恵まれない子供たちが抱える課題をべつの「レンズ」、つまり、彼らが子供時代に身につけた（あるいは身につけなかった）スキルと能力を通して再検討した。[8]

『成功する子 失敗する子』でとくに焦点を合わせたのは、「非認知スキル」あるいは「ソフトスキル」と呼ばれることの多い一群の要素——粘り強さ、誠実さ、自制心、楽観主義など——が、貧しい子供たちが困難を乗り越えて成功するために、どのような役割を果たしているか、ということだった。「性格の強み」とも呼ばれるこうした気質は、近年、子供の発達を研究する人々のあいだで注目され、前向きな取り組みを促進してきた。低所得層の子供たちの成果を改善するためには、こうした気質が決定的に重要になると、いまや——私自身を含め——多くの人々が信じている。

この確信を支える科学的根拠（エビデンス）は、神経科学や小児科学の分野にも見られる。過酷な、あるいは不安定な環境が、成長過程にある幼少期の子供たちの脳や体に生物学的な変化をもたらすことが、最新の調査で示されているのだ。そうした変化は、思考や感情を制御する能力の発達を損なう。これが損なわれると、情報を処理したり感情を制御したりすることが困難になり、学校生活をうまくこなすことがむずかしくなる。

この神経生物学の調査は、長期にわたる心理学分野の研究——自制心や誠実さを含む非認知能力のある子供たちが、大人になってからもさまざまな改善が見られることを示す研究——によって補完されている。この手の研究で最も徹底しているのは、一九七〇年代のはじめにニュージーランドのダニーデンで生まれた一〇〇〇人の子供たちを何十年にもわたり追跡したもので、非認知能力の高い子供のほうが学歴が高く、健康状態もいいという結果が出ている。また、シングルペアレントになる可能性は低く、借金を抱えたり刑務所に入ったりする可能性も低い[9]。

二〇一二年の秋に『成功する子 失敗する子』の原書が刊行されて以来（邦訳は二〇一三年）、これらの気質が子供の発達において重要でありながら見過ごされてきたとする見方が、とくに教育の分野で広がりつづけている。しかし、ここ何年か非認知的な要素について多くの議論がなされてきたにもかかわらず、それを伸ばす最善の方法については結論が出ていない。そして当然のことながら、多くの教育者が不満を募らせている。本の刊行後、教員や、子供の発達に関わる専門家のまえで話をする機会がときどきあり、逆境に関する生物学的な最新調査や、本を書くうちに出会ってきた医師やメンター、教師、子供たちのことを紹介した。こうした講演のあとには、きまっておなじ質問をされた。「話はわかりました。それで、結局どうすればいいのですか？」低所得層の子供たちに対する教育を成功させるには、非認知スキルが重要な要素であるというアイデアは、私が話をした大勢の教員の実体験とも一致するものだった。だが彼らは、私の本のなかにも、ほかのどこにも、幼時期から思春期までの子供たちがこうしたスキルを発達させるための最も効果的な方法が具体的には書かれていないと指摘した。

そこで、二〇一四年の夏に、私は新しい取り組みをはじめることにした。『成功する子失敗する子』のなかで書いた調査や研究について再検討し、新しい科学的発見や、新しいモデル・スクール、教室の外でも子供たちを支援する新しいアプローチなどに、調査の範囲を広げることにした。本書はそれをまとめたものだ。現場と政策立案者の双方に実践的なガイドを提供することを目的としている。「それで、結局どうすればいいのですか？」という質問に答えようとするひとつの試みである。

2　戦略

さて、本論に入るまえに、本書のアプローチについて簡単に説明しておきたい。

まず、私を含め、社会問題を扱うジャーナリストがよく用いるテクニックについて書いておこう。ジャーナリストはある特定の教育プログラムを説明するとき——それは、たとえばある学校だったり、一つの学習指導法だったり、課外活動だったり、地域活動だったりするわけだが——明示的にせよ暗示的にせよ、そのプログラムをほかの人々が真似できるモデルに仕立てようとする。貧しい人々の暮らしを改善すべく活動している慈善家や財団も似たようなことをする。みな、うまくいっているプログラムを探し、それを真似して、できるかぎり広めようとするのだ。こうした模倣戦略の裏には確固とした理由がある。模倣は技術を進歩させる戦略の基本だ。新しい方法をいくつも試して、最も成功をおさめた一例を見きわめ、その方法を広く用いようとする。成功例に焦点を合わせるのは、言葉を扱うジャーナリストにとっても魅力的なアプローチだ。なぜなら、読者は無味乾燥な調査や統計の数字を地道に検討するよりも、価値あるゴールに向かって個人が突き進むような、心に響く物語を読むほうを好むからだ。

だが、この種のジャーナリズムには限界があるし、慈善事業も同様だ。模倣して広める手法は、社会福祉や教育の分野では、技術分野とおなじようにうまくいくわけではない。社会科学の研究資料を調べてみると、質の高い小規模のプログラムであふれているが、真似をしたり規模を大きくしたりすれば効果が極端に下がってしまいそうなものばかりだ。また、個々の事例に焦点を合わせるのも、物語を伝えることに満足感はあるかもしれないが、読者の眼を重要な問いから逸らしてしまうことにもなりかねない。その問いとは、「この学校（もしくは幼稚園、あるいは指導プログラム）がうまくいっているとすれば、それはなぜなのか？　どういう原理と実践のもとで成功しているのか？」というものだ。

そこで本書ではさまざまな事例を、模倣すべき見本としてでなく、根底にあるアイデアや戦略の具体例として検討していく。どのプログラムもどの学校も完璧ではないが、成功例にはそれぞれ、どのようにして成功したのか、なぜ成功したのかという部分にヒントが含まれており、それは役立つ情報となるはずだ。成功例それぞれの核となる原理を抽出して解説し、共通点を見つけることが本書の目的である。

貧しい子供たちの問題に取り組む方法を探そうとするとき、誰もが直面する難題はもう一つある。アメリカ国内では、子供時代が年代に応じて、服のサイズや図書館の本棚のように、小分けにされてしまうのだ。乳幼児はこちら、小学生はあちら、一〇代の子供たちはどこかまったくべつの場所、というように。これは研究者にも、支援グループにも、慈善事業にも、役所にも当てはまる。社会政策を例に取ってみると、国全体では、いちばん幼い時期の子供たちの教育は保健福祉省の管轄であり、児童家庭局を通して「ヘッドスタート」などの育児支援プログラムを運営しているのもここである。しかし、幼稚園に入ったとたんに、子供の教育に関する責任の所在は魔法のようにすばやく教育省へ移動し、こんどはこちらが小・中学校の教育までを監督する。同様のお役所仕事的な区分が州レベル、郡レベルでも存在し、ごく少数の例外を除いて、幼児期の育児支援をする部署と学校システムの管理をする部署が共同で何かに取り組むことはないし、連絡すらほとんど取らない。

こうした区分があるのも理解はできる。子供時代のすべてを一つの政府機関、あるいは一つの財団が——ましてや一人の教師やメンターやソーシャルワーカーが——一手に引き受けるのは無理である。仕事があまりにも多岐にわたるからだ。しかしこのように分断することのいちばんの問題は、子供時代のあらゆる段階を通じて持続するテーマやパターンが見えなくなってしまうことだ。

そこで本書ではべつの戦略を採ることにする。子供たち、とりわけ逆境のなかで育つ子供たちの発達を、一つの連続体として、生まれてから高校卒業までを分断しない一つの物語として考えていく。

3　スキル

やり抜く力(グリット)、好奇心、自制心、楽観的なものの見方、誠実さといった気質は、「非認知スキル」と表現されることが多いので、生徒たちのこうした気質を熱心に伸ばそうとする教師は、すでに教え方のわかっているほかのスキル――読み書き計算や、分析の能力など――とおなじように扱おうとする。そして非認知スキルの価値が広く知られるようになるにつれ、カリキュラムや教科書や指導法にこれらのスキルを伸ばすためのガイドが求められるようになった。三平方の定理を教えるのに最も効果的な方法があるというなら、グリットを教えるにも最良の方法があっていいのではないか?

しかしながら、実践はそう簡単ではない。性格の強みを伸ばすための総合的なアプローチを開発した学校もあるし、アメリカじゅうの教室で、教師たちはいままで以上にグリットや粘り強さといった気質について生徒に話をしている。けれども『成功する子 失敗する子』を書いたときに、私は奇妙な矛盾に気がついた。生徒から非認知能力をうまく引きだすことのできる教育者たちは、こうした「スキル」の話を教室で口にすることはないのである。

たとえばエリザベス・スピーゲルだ。『成功する子 失敗する子』で紹介した、チェスのコーチである。[1] 彼女がチェスを教えているのは第三一八インターミディエート・スクール（ＩＳ３１８）という、ブルックリンにあるごくふつうの公立高校で、生徒の多くは有色人種で低所得層の子供である。前著にも書いたように、スピーゲルはＩＳ３１８のチェス・クラブを、もっと財力のある私立学校のチーム相手に常勝し、全国選手権でも勝ちあがれる強豪チームへと変貌させた。スピーゲルの仕事を見れば、彼女がチェスの知識以上のものを教えていることは一目瞭然だった。チームへの帰属意識、目標を高く持つこと、自信を持つことを教えていた。そして生徒たちが身につけたスキルのなかには、ほかの教師たちが「性格の強み」と呼ぶものが多くあった。生徒たちは大きな障害をいくつも乗りこえ、粘り強く難題に取り組んだ。試合での失敗や負け、ストレスにも対処できるだけの弾力性（レジリエンス）を備えてもいた。到達不可能なほど遠く感じられるゴールに向かって、長期にわたり一心に進むことができた。

それでも、エリザベス・スピーゲルが教えるところを観察していたとき、彼女が「グリット」や「気質」や「自制心」といった言葉を使うのを耳にしたことはいちどもなかった。スピーゲルは生徒にチェスの話しかしなかった。激励したり、モチベーションを高めるようなスピーチをしたりすることもほとんどなかった。ではどういった方法で教えたのかといえば、生徒たちの試合を彼らと一緒に熱心に分析し、彼らがおかしたミスについて詳細まで率直に話して、どうしたらよかったかを理解させるのだった。生徒たちのプレーを注意深く、細かいところまで見つめることで、彼らのチェスの能力だけでなく、生活全般への取り組み方まで変えたのだ。

あるいは、ラニータ・リードの例を見てみよう。[2] リードは、私が会ったなかで最も上手に気質を育てることのできる教育者のひとりだが、気質の話などほとんどしないし、そもそも教師ですらない。彼女はシカゴのサウスサイドで〈ギフティド・ハンズ〉という名のサロンを経営する美容師で、青少年支援プログラム（ＹＡＰ）のためにパートタイムでメンターとして働いている。ＹＡＰは、シカゴの学校教育部門から委託されて、銃撃事件を起こす、または事件の被害者となる危険が最も高いとされる生徒たちに、集中的な支援活動をおこなっている。私が出会ったとき、リードはキーサ・ジョーンズという名の一七歳の少女を担当していた。キーサは困難と苦痛に満ちた子供時代を送り、殴り合いのけんかをすることで不満や怒りを表明していた。毎朝のように、高校でその日最初に会った相手をつかまえては、おかしな眼でこっちを見るなと突っかかった。

数カ月のあいだ、リードは多くの時間を割いてキーサと話をした。サロンで、ファストフード店で、ボウリング場で。キーサの抱えるトラブルについて聞き、姉のようにアドバイスを与えた。リードはすばらしいメンターだった。共感し、親身にはなるが、お人よしなわけではない。虐待されてきたキーサに同情を寄せ、親密な関係を築きながら、同時に、人生を変えるには多大な努力が必要だとわからせた。リードの支援のおかげで、キーサはまさに気質を重視する教育者が望むとおりの変容をとげた。より粘り強く、打たれ強くなり、楽観的になり、自制できるようになった。長期的な幸福を得るために、短期的な楽しみを控えることも進んでするようになった。しかしキーサも、非認知スキルや性格の強みについてはっきりした説明を受けたわけではなかった。

前作を書いているあいだずっとこの現象を観察していたが、子供たちの非認知能力を伸ばそうとする際、ふつうにものを教えるときの方法論を使うのはまちがっているのかもしれない、と思いはじめたのは本が出版されたあとだった。数学を教えるのとおなじ方法で気質を教えることはできない。二次方程式について話さずに二次方程式を教えることができないのは自明の理だが、私が挙げた事例を読んでもらえれば、自制心の利点についてひとことも話さなくても生徒の自制心を育てられることがはっきりわかるはずだ。また、数学や歴史を教えるときにうまくいく指導法が、性格の強みを伸ばそうとするときには役に立たないことも明らかだ。好奇心のワークシートを埋めることで好奇心を身につける子供はいない。粘り強さについての講義を聞くことが、何かをやり通そうとするときにおおいに役立つわけでもない。

これがわかると、いくつか新しい疑問が湧いてきた。非認知能力が認知能力とまったく種類の異なるものであるなら、どうしたらいいのだろう？　そもそも訓練や練習の結果として身につくものではないとしたら？　非認知能力を伸ばすプロセスが、読み書き計算を習得するときのプロセスとは似ても似つかないものだったら？

私の至った結論はこうだ。「非認知能力は教えることのできるスキルである」と考えるよりも、「非認知能力は子供をとりまく環境の産物である」と考えたほうがより正確であり、有益でもある。これが子供の乳幼児期に当てはまることには、有力な科学的根拠（エビデンス）がある。逆境が子供の乳幼児期の発達に与える影響については、近年非常に多くのことが知られるようになった。そして、中学生や高校生でも、非認知能力は、おもに彼らの属する学校を中心とした環境の産物なのだ。

これは、子供の非認知能力を伸ばす方法を探す人々にとって大きなニュースだ。もっといえば、所得格差を要因とする成績の格差を縮め、逆境にある子供たちにより幅広いチャンスを提供しようと模索する人々にとって非常に重大なニュースだ。子供たちのやり抜く力やレジリエンスや自制心を高めたいと思うなら、最初に働きかけるべき場所は、子供自身ではない。環境なのである。

4　ストレス

非認知能力を伸ばすには環境に働きかけるべきだと考えると、さらに新しい、差し迫った疑問が生じる。不利な条件下にある子供たちの日々の生活のなかで、成功に必要な能力を伸ばすことを著しく阻害しているものはいったいなんなのか？　一つは健康に関わる問題だ。概して貧しい子供たちは、裕福な子供たちに比べて栄養価の高い食事がとれておらず、受けられる医療の質も低い。もう一つは、幼いころの知的刺激である。裕福な親はたいてい、子供たちが幼いころから本や教育玩具をたっぷり与える。[1]一方で、低所得層の親が、よい図書館や博物館などの文化施設のある地域に住んでいることは稀で、変化に富んだ豊富な語彙で幼い子供に話しかけるようなこともあまりない。[2]

こうした要因はすべて大きな問題だ。しかし、神経科学者や心理学者、その他の研究者たちは、逆境のなかで育つ子供たちの問題についてべつの原因に焦点を合わせはじめており、私たちも不利な状況、有利な状況についての考え方を修正する必要がある。研究者らの結論によれば、環境による影響のなかで子供の発達を最も左右するのは、ストレスなのだ。[3]子供たちは、いくつかの環境要因によって、長期にわたり不健全な圧迫を受けつづけることがある。こうしたストレス要因が子供の心と体の健全な発達を阻害する度合いは、従来の一般的な認識よりもはるかに大きい。

逆境は、とくに幼い時期ほど、体内の複雑なストレス反応のネットワーク――脳と免疫システムと内分泌システム（コルチゾールなどのストレスホルモンをつくり、放出する内分泌腺）を結ぶネットワーク――の発達に強い影響を及ぼす。とくにこの時期にネットワークが環境からの信号に非常に敏感に反応するのは、これから先の長い人生において何に備えるべきか、体に知らせる信号をつねに探しているからだ。この先の人生が困難であることが信号によって示されれば、ネットワークはトラブルに備えるための反応をする。血圧をあげ、アドレナリンの分泌を増やして警戒を高める。[4]

短期的に見れば、とくに危険な環境では利点もある。「闘争・逃走反応」とも呼ばれる脅威検知システムが作動し、つねにトラブルに備えている状態なので、すぐに反応できる。このように、危険な環境への適応の発達には確固たる理由があるのだ。しかしこの適応が長期にわたってつづくと、数々の生理的な問題の引き金ともなる。免疫系がうまく働かなくなり、体重増加の一因となる代謝の変化が起こって、のちに喘息（ぜんそく）から心臓病までさまざまな病気を引き起こす。さらに厄介なことに、ストレスは脳の発達にも影響を及ぼす可能性がある。とりわけ幼い時期に経験した高レベルのストレスは、前頭前皮質、つまり知的機能をつかさどる最も繊細で複雑な脳の部位の発達を阻害し、感情面や認知面での制御能力が育つのを妨げる。

感情面で見ると、幼い時期に慢性的なストレスを受けた子供は——いまでは大勢の研究者がこれを有害ストレスと呼ぶが——失望や怒りへの反応を抑えることに困難を覚えるようになる。小さな挫折が圧倒的な敗北のように感じられ、ほんのすこし軽く扱われたように感じただけでも深刻な対立関係に陥る。学校生活では、つねに脅威を警戒しつづける極度に敏感なストレス反応システムは、自滅的な行動パターンを引き起こす。けんか、口ごたえ、教室内でのわがままなふるまい。もうすこし目立たないものとしては、クラスメートとのつながりをつねに警戒し、教師や大人から差し伸べられた手を拒むようになる。

認知面で見ると、不安定な環境で育ち、そうした環境が生む慢性的な強いストレスにさらされた場合、前頭前皮質が制御する、実行機能と呼ばれる一連の能力の発達が阻害される。[5] 実行機能は、脳の働きを監督する航空管制官のチームに喩えられることのある高次の知的能力——作業記憶、自己調整、認識の柔軟性などを含むもの——で、これが発達のための神経系の基盤となり、粘り強さやレジリエンスといった非認知能力の支えとなる。不慣れな状況を切り抜けたり、新しい情報を処理したりする際に非常に役立つ、まさに日々の学校生活で求められる能力である。この実行機能がきちんと発達していないと、複雑な指示に集中できず、学校生活にいつも不満を抱くようになってしまう。

5
親

幼い時期の逆境と発達に関する最新の研究の多くが、根本的な矛盾を抱えている。貧困にともなう問題が分子レベルで理解されるのはよいことかもしれないが、それは解決には直結しない。近年の研究を見ると、逆境のなかで育つ子供たちの人生の全貌を把握するには、神経科学の博士号が必要なのではないかと思えてくる。しかしその複雑な科学が——たとえば、アドレナリンの分泌腺がグルココルチコイドを放出するメカニズムや、免疫細胞がサイトカインを分泌するメカニズムを正確に知ることが——困難な状況にある子供たちをどう手助けすればいいか教えてくれるわけではない。もしかしたら、神経系の乱れに直接働きかける神経化学的な治療法がいつかは見つかるのかもしれない。注射や薬のような方法で、子供時代の逆境の影響を魔法のように打ち消すことができるようになるのかもしれない。だがいまのところ、逆境の影響を正す、もしくは埋めあわせるための道具は、ひどく扱いにくいものが一つあるだけだ。それは、子供たちが日々暮らしている環境である。

「環境」という言葉を聞くと、たいてい最初に思い浮かべるのは子供のまわりの物理的な環境だ。確かに物理的な環境も、とくに文字どおり有毒な場合には——たとえば飲み水に鉛が入っていたり、吸いこむ空気に一酸化炭素が含まれていたり――子供たちの発達に一定の影響を及ぼす。しかし、最新の重要な発見によれば、いちばんの問題となる環境要因は、居住する建物ではなく、子供たちが経験する人間関係なのだ。つまり、周りの大人が、とくに子供たちがストレスを受けているときにどう対応するかである。[1]

子供が感情面、精神面、認知面で発達するための最初にしてきわめて重要な環境は、家である。もっとはっきりいえば、家族だ。ごく幼いころから、子供は親の反応によって世界を理解しようとする。ハーバード大学の児童発達研究センターの研究者たちは、この相互関係に「サーブとリターン」という名前をつけた。幼児が音をたてる、あるいは何かを見る（これが「サーブ」）と、親は子供の関心を共有し、片言のおしゃべりや泣き声に対し、しぐさや表情や言葉で反応することでサーブを打ち返す（これが「リターン」）。「そうね、わんわんね！」「扇風機が見えたの？」「あらあら、悲しいの？」こうした親と乳児とのあいだのあたりまえのやりとりは、親にしてみれば無意味なくり返しに感じられるかもしれないが、乳幼児にとっては世界のありようを知るための貴重な情報をたっぷり含むものだ。これはほかのどんな経験よりも発達の引き金となり、脳内における感情、認識、言葉、記憶を制御する領域同士の結合を強固なものにする。

子供のごく幼い時期に親が果たす第二の決定的な役割は、子供たちが受ける圧力――よいものも悪いものも含めて――の外部調整装置となることだ。研究によれば、とくに子供が動揺しているときに、親が厳しい反応を示したり予測のつかない行動を取ったりすると、のちのち子供は強い感情をうまく処理することや、緊張度の高い状況に効果的に対応することができなくなる。[2] 反対に、子供が瞬間的なストレスに対処するのを助け、怯えたり癇癪を起こしたりしたあとにおちつきを取り戻すのを手伝うことのできる親は、その後の子供のストレス対処能力に大いにプラスの影響を与える。当然ながら、乳幼児期には泣きわめいたり感情を爆発させたりすることも多いものだが、子供はそのつど何かを学ぶ（親にしたらその瞬間には信じられないことかもしれないが）。世話をする人が子供のもつれた感情に鋭敏に、注意深く反応するなら、子供はひどく不快な感情にも自分でうまく対処できるようになる。これは知力を要する学習ではないが、子供の心に深く刻まれ、次にストレスに満ちた状況になったとき、あるいは先々さまざまな危機に直面したときに、真価を発揮する。

ここ一〇年ほどのあいだに、神経科学者たちは齧歯（げっし）類と人間の研究の両方で、とくに子供がストレスを受けている局面での親のケアが、ホルモンなどの脳からの分泌物だけでなく、もっと深い、遺伝子発現に関わる部分でも子供の発達に影響を与える証拠を発見した。マギル大学の研究者らは、母ラットの特定の行動が、子ラットのＤＮＡの配列に起こるメチル化に影響を与えることを明らかにした。子ラットがストレスを受けたときに母ラットが示す温かく繊細な対応、とくにリッキング・アンド・グルーミングと呼ばれるなだめるような行動が、ＤＮＡ上で海馬を制御する部位のメチル化を抑制するのだ。[3]海馬は、成長したときにストレスホルモンを処理する部位だ。まだ検証段階だが、人間の場合にも同様の効果があると見られている。マギル大学の研究は、多くの親の（そして子供時代をふり返ることのできる人々の）直感を裏づけている。親のほんの小さな配慮が、非常に深いところから――きわめて重要な遺伝情報に関わる部分まで掘りさげるようにして――子供の発達を助けるのだ。

6 トラウマ（心的外傷）

家庭環境が子供の発達にプラスの影響を与える可能性があるとすれば、その反対もありうる。とくにごく幼い時期に有害なストレスを経験すると、きわめて深刻な発達の中断が起こり、免疫システムや実行機能、心の健康が損なわれたりする。もちろん、近所で起こる暴力行為や見知らぬ人間からの虐待のような、家の外のストレス要因からも影響を受けるが、大半の子供にとって、ストレス反応システムの発達への重大な脅威は家のなかにある。

子供のストレスやトラウマの長期的な影響に関する研究の一つに、「子供時代の逆境（ACE）の研究」がある。アメリカ疾病予防管理センターの医師ロバート・アンダと、カリフォルニア州を拠点とする大規模医療保険団体カイザー・パーマネンテの予防医学部門の創設者、ヴィンセント・フェリッティが一九九〇年代におこなったものである。[1] アンダとフェリッティは、カリフォルニア南部の一万七〇〇〇人を超えるカイザーの患者を対象とし、子供のころのトラウマを引き起こす体験について調査した。対象者のほとんどが学歴の高い中年の白人だ。アンダとフェリッティは、家庭内で起こる事柄について一〇項目の質問をした。虐待に関する項目が三つ、ネグレクトに関する項目が二つ、あとの五つは

「深刻な機能不全に陥った家庭」で育ったことを示すもの――DVを目撃した、両親が離婚した、家族のなかに刑務所に入っている者か精神疾患のある者、あるいはアルコールや薬物乱用の問題を抱える者がいた、など――だった。[2] つまり、対象者が子供のころに経験した逆境の数だけを調べたのである。

アンダとフェリッティは、その後カイザーのファイルを探り、それぞれの患者の病歴を調べた。その結果、患者が子供のころに経験したトラウマの数と、成人後にかかった内科疾患のあいだに、驚くべき相関関係が見つかった。「子供時代の逆境（ACE）」を四つ以上経験している患者では、がんになる確率は二倍、心臓病にかかる確率は二倍、肝臓病にかかる確率も二倍、肺気腫や慢性気管支炎になる確率は四倍だった。[3]

「トラウマ」という用語からは一過性の経験が連想されることが多いが、アンダとフェリッティが設定した項目は慢性的で継続するものだった。親の離婚や精神疾患、ネグレクトといったものは、ある特定の一日の出来事ではなく、毎日つづく経験なのだ。ACEの研究がほんとうに追跡したのは、いっときの「出来事」としての逆境というよりは、「環境」としての逆境の影響だった。これは体の発達だけでなく、心の発達にも重大な影響を及ぼす。アンダとフェリッティが発見したところによれば、ACEのスコアが高いほど、鬱や不安に悩まされたり、自殺や自己破壊的な行為に及ぶ可能性が高かった。ACEの経験がない人々に比べ、ACEのスコアが四点以上の人々では、喫煙者の割合は二倍、アル

図3　トラウマを経験すればするほど、成人後に問題を抱えやすい

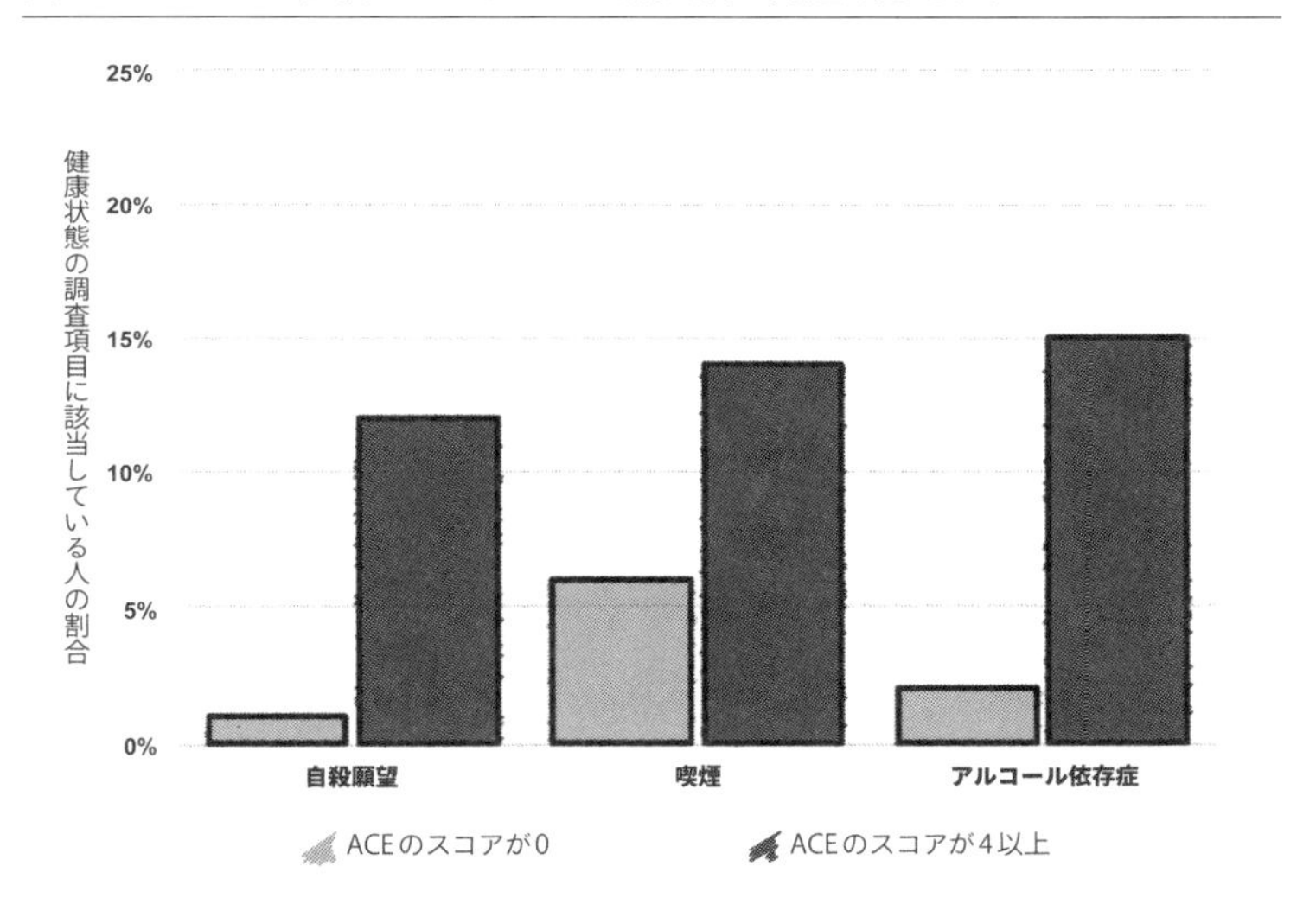

図4　幼少期に多くのトラウマを経験した大人はうつ病になりやすい

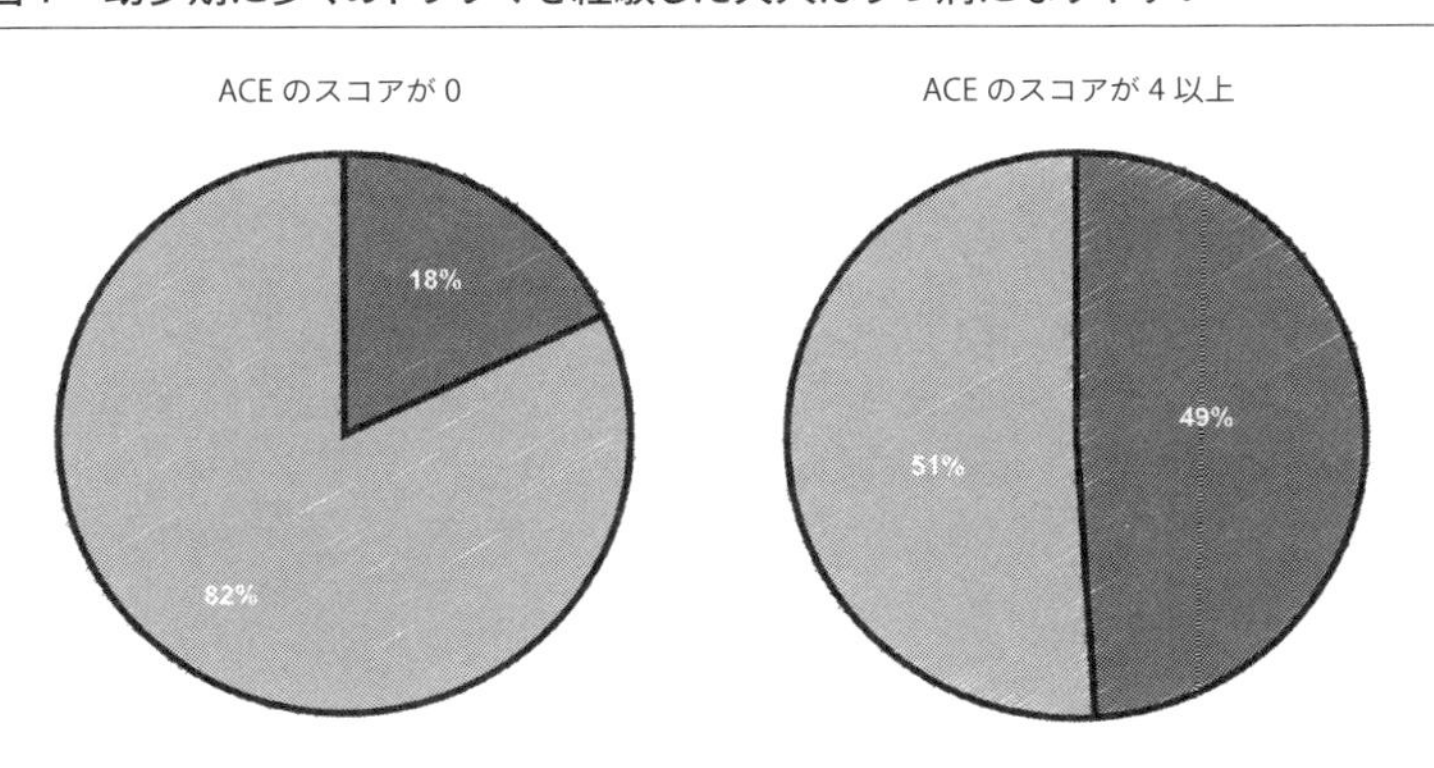

コール依存症になる確率は七倍、一五歳未満で性体験をする確率も七倍だった。[4]

もっと最近の例でも、アンダとフェリッティの基準を用いた研究者らが発見したところによれば、慢性的にストレスの多い家庭で育った場合、つまりＡＣＥのスコアが高い場合、子供の実行機能の発達にマイナスの影響が出ている。[5] その延長線上の問題として、学校で効率よく学習することができなくなる。サンフランシスコの小児科医で、心的外傷の研究者でもあるナディーン・バーク・ハリスがおこなった研究では、ＡＣＥのスコアがゼロだった児童のうち、学校での学習や行動に問題のある子供は三パーセントだけだった。しかしＡＣＥのスコアが四点以上の児童では、これが五一パーセントにのぼった。[6]

二〇一四年に発表されたべつの全国規模の研究では（ＡＣＥの定義に若干のちがいはあるのだが）、ＡＣＥが二点以上の学齢期の児童では、ＡＣＥがゼロの児童に比べて問題行動を起こす可能性は八倍、留年する可能性は二倍以上だった。[7] この研究では、対象のうち半数をわずかに超える児童に逆境の経験がないが、残りの約半数、ＡＣＥが一点でもある子供では、八五パーセントに教師が問題とみなす行動が見られた。

図5　トラウマを経験した子供は、学校生活で学習や行動上の問題を抱えがちである

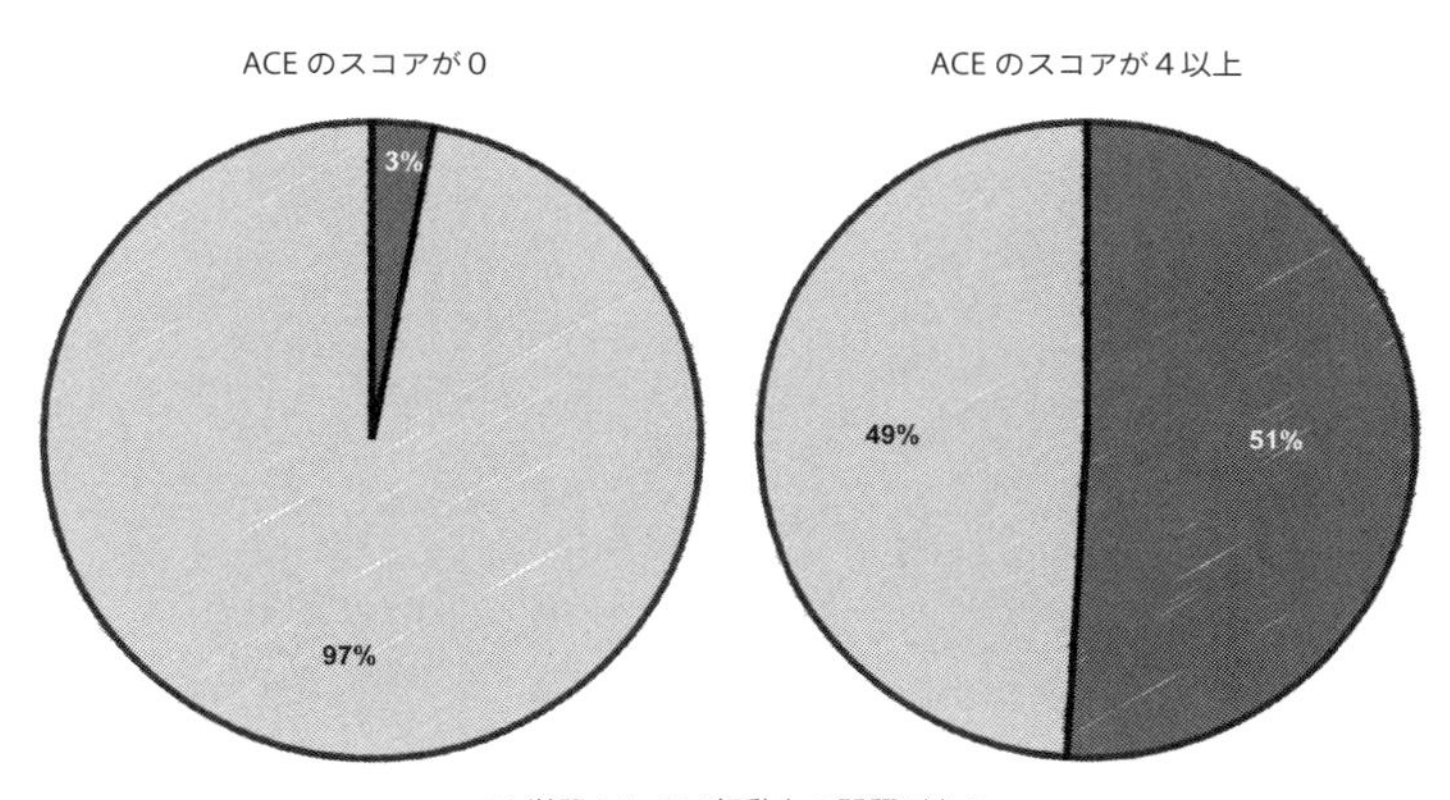

7　ネグレクト

ＡＣＥの一〇項目に反映されるような、家庭環境の重度の崩壊が子供の発達に有害な影響を与えるのはもちろんだが、もうすこし軽度の機能不全もマイナスの影響を与えうる。

オレゴンでおこなわれた最近の研究に、両親のあいだの暴力を伴わない口論が乳幼児の発達に与える影響を調べたものがある。[1]研究者たちは生後六カ月から一二カ月の乳児を対象に、眠っているあいだに機能的磁気共鳴映像装置（ｆＭＲＩ）で脳波を探る実験をした。この装置を使うと、どういった刺激に対して脳のどの部分が反応するかがわかる。研究者は、赤ん坊が眠っているあいだに、怒ったしゃべり声の録音を流して脳の反応を調べた。同時に、乳児の母親たちを対象に家庭環境の調査をした。調査内容には、夫婦で口論をする頻度も含まれる。実験の結果、家庭内で口論はほとんどないと答えた母親の子供は、怒声に対して比較的穏やかな反応を示した。だが、家庭内で口論が頻繁に起こると答えた母親の子供の場合、ｆＭＲＩの画像上で、感情、ストレス反応、自制に関わる脳の部位にはっきりとした反応が示された。

この研究や類似の調査により、従来のトラウマの定義にあてはまらなくとも、脳の発達にマイナスの影響を及ぼす環境要因が存在することがわかった。実際、子供の健康的な発達を最も深刻に脅かすのはネグレクト、すなわち親や世話人からの反応の欠如であり、それを示すエビデンスは相次いで報告されている。[2] とくに乳児のころにネグレクトを受けると、神経システムがそれを深刻な脅威として受けとめる。研究者らの発見によれば、ネグレクトは肉体的な虐待よりも長期にわたって害を及ぼすこともある。[3]

そう、ネグレクトも継続的な危機なのだ。ただし、心理学者によると、いちばん弱いネグレクト――世話をする人間がときどき注意をはらうのを怠ること――にはプラスの効果もある。子供にとって、自分はつねに親の関心の中心にいるわけではないと知り、ときには自分だけで楽しもうとするのはよいことだ。一方、過酷なネグレクトは、法律により虐待であると定義され、児童福祉課の介入を必要とする。しかしこの両極のあいだに「慢性的な低刺激」と呼ばれる状態がある。親が子供にあまり反応せず、積極的に関心を寄せたり、きちんと向きあってやりとりをしたりといったことがない状態だ。子供は泣いても、話しかけようとしても無視され、連続して何時間もテレビのまえに放置される。[4]

神経科学者たちの発見によれば、この程度のネグレクトでも、脳の発達に対し、長期間にわたる深刻な悪影響を及ぼす。前頭前皮質への影響を通して、ネグレクトはストレス反応システムを損なう。それが子供時代だけでなく、のちのちまで感情や行動に問題を引き起こし、社会生活を困難にする。[5] 慢性的な低刺激を経験した子供は、上手に友達をつくれない傾向がある。認知力や言語の発達が遅れ、実行機能に問題を生じることもある。集中することが苦手になる。教師や親からは、不注意でおちつきがないとみなされる。学校で勉強に集中できないからだ。[6]

神経科学者たちによれば、ネグレクトや虐待、その他のトラウマはすべて、自分の置かれた環境が不安定で混沌としていて予測がつかないということを、発達途上にある乳幼児の脳に教えこむという。とくに乳児期には、子供の脳は周囲の世界に決まったパターンを探している。それなのにすぐそばの環境がつねに流動的な場合――子供たちの行動範囲内にいる大人が突飛なふるまいをしたり、あまり反応を示さなかったりすると――子供の脳やストレス反応システムは不安定な人生への準備をはじめ、何が起こってもいいようにつねに警戒することになる。

ネグレクトや虐待が子供たちに強烈な影響を与えるのは確かだが、有害な親の行動を変えることで、その影響を半減させることができる、いや、好転させることさえできる。たとえば、二〇〇〇年代にロシアのサンクトペテルブルクでおこなわれた実験を考えてみよう。ポスト・ソビエト時代の社会や経済の崩壊により、ロシアでは多くの乳幼児が孤児院に入ることになった。[7]それは、けっして作家のディケンズが小説に描いたような施設ではなかった。子供たちは充分な食べ物と衣類を与えられ、清潔なベッドや適切な医療や、おもちゃさえ与えられた。けれども施設は厳しく、人間味に乏しいやり方で運営されており、スタッフが子供たちに温かく接することがなかった。ある報告書には、この時代の典型的なロシアの孤児院について次のように書かれている。「子供たちの食事や着替えや入浴は機械的に処理され、家庭で親とのあいだに起こるような、笑いやおしゃべりやアイコンタクトはいっさいなかった」[8]

その後、ロシアとアメリカの科学者のチームが、大半の子供が二歳未満のある孤児院のスタッフを、もっと心のこもった世話をするように教育した。スタッフは、食事や入浴のような毎日の世話を温かいやりとりの機会として捉えるよう奨励された。大したことではない。ただ声をかけたり、笑みを向けたりといった、たいていの親が本能的に自分の子供に対してするようなことだ。それだけですぐに、子供たちにとって多くのことが変わった。九カ月後には、認知能力や社会性の発達、運動技能に相当の伸びが見られた[9]。しかしおそらく最も目をみはるべきは、体の発育そのものにまで改善があったことだろう。食事や医療ケアはまったく変わらないのに、以前は伸びが止まっていた身長、体重、胸囲がすべて目に見えて増加した[10]。世話をするスタッフのほうにもいいことがあった。孤児たちがより健康に、より幸せそうになるにつれ、スタッフのあいだでも鬱や不安が減少した[11]。スタッフの行動の小さな変化が、子供たちと孤児院内の雰囲気を大きく変えたのである。

サンクトペテルブルクの実験がうまくいったのは、孤児院に暮らす乳幼児の「環境」を変えたからだ。くり返すが、この孤児院で変わったのは、物質的な環境ではない。子供たちに、より快適なベッドや、よりよい食事や、よりよい刺激となるおもちゃが与えられたわけではない。変わったのは、まわりの大人の接し方だ。だからもし目のまえの恵まれない幼い子供たちの人生を変えたいと思うなら、私たちにできるのは環境要因を改善すること、つまり子供たちが日々接する大人の行動や態度を改善することなのだ。

8　幼児期の介入

先述のように、本書では「子供時代は連続体である」ことを前提としている。だから、もし不利な条件下にある子供がよりよい人生を送れるよう手助けがしたいなら、プラスに働く介入の機会を連続体のなかでできるだけ多く探す必要がある。しかしそれでもなお、六歳未満の幼い時期、もっといえば三歳未満の時期こそが、子供の発達を促す絶好のチャンスでもあり、危機が潜む期間でもあるのだ。これには確固たるエビデンスがある。ごく幼い時期の子供の脳は最もやわらかく、ほかのどの時期よりも環境からの影響を受けやすい。のちに様々な能力を支えることになる神経系の基盤が形成の途上にあるからだ。この基盤が関わる能力には、読み書き計算や比較、推測を扱う知的能力だけでなく、学校の内外で生きていくための心の習慣や力、ものの見方まで含まれる。幼いころに環境から受けた影響は増幅される。よい環境にいれば先々の発達にとって非常によく、悪い環境にいれば非常に悪い影響が出る。

子供時代のとくに早い時期の脳の発達については科学的理解が進んでいるのに、逆境にある子供たちを支援する政策については、充分な取り組みがなされているとはいえない。幼時期については、子供たちのために使われる公的資金のごく小さな一部しか提供されていない。社会福祉費の総額のうち、幼い子供に使われる金額の割合を調べた最近の国際的なランキングでは、対象となった先進国三一カ国中、アメリカは三一位だった。[1] しかも、決して多いとはいえないその資金の大半が、幼稚園にあがる直前の子供たちのために使われている。つまり、「勉強」に必要なスキルを習得する、四歳児向け（いくつかは三歳児向け）のプログラムに使われているのである。

入園前プログラムの効果に関するデータは、いくらか雑多である。誰でも利用できる全州規模のプログラムが増えつつあるが、これは恵まれない子供たちだけでなく、裕福な家の子供たちにも提供されている。こうした入園前プログラムができた背景には、政治的、社会的にさまざまな理由がある。一つには、あらゆる階層の子供たちに等しく利益になる政策が望まれたためである。事実、中流階級の有権者たちが力を注ぎたがるのは、貧困層のみに向けられたプログラムではない。しかし生活にとくに不自由のない子供たちのための入園前プログラムに教育的価値があるかどうかは、いまも議論がつづいている。複数の研究により、統一の入園前プログラムが裕福な家の子供たちのスキルに与えるプラスの効果はほとんどないか、まったくない（あるいはマイナスの影響さえ見られる場合もある）ことが明らかになっている。[2] いい換えれば、貧困層の四歳児が幼稚園で必要とされるスキルを伸ばすためには、確かに役立っている。プログラムが質の高いものであるかぎりは。[3]

しかしそれでも、限られた公的資金の大部分を入園前プログラムに費やしていたので

図6　幼少期の子供のための支出の大半が、3~5歳のために使われている

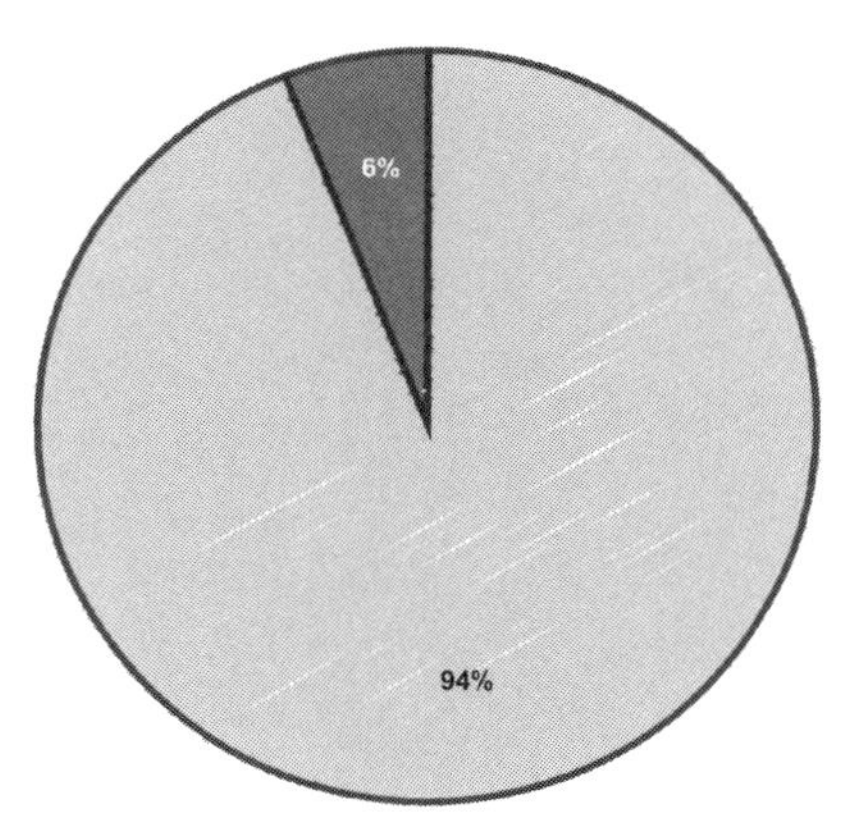

は、三歳未満の子供とその親を支えるプログラムのための資金がほとんど残らない。ある見積もりによれば、アメリカでは幼い子供のための公的資金のうち、三歳未満の子供向けのプログラムに費やされるのはたったの六パーセントであるという。[4]残りの九四パーセントは三歳児向け、四歳児向け、五歳児向けのプログラムに使われる。この配分の偏りは問題だ。いまや、のちの成功に影響を及ぼす脳の発達は、人生の最初の三年間に起こるとはっきりわかっているのだから。ごく幼い時期に発達する能力は、数や文字を操る能力ほど簡単に入園テストで測れるわけではないが、まさに実行機能と

密接に関わるものである。研究者らが最近になって結論づけたところによれば、この能力――一つの活動に長期間集中する能力、指示を理解しそれに従う能力、失望や不満と折り合いをつける能力、ほかの生徒とうまくつきあう能力――は、幼稚園でもその後の学校生活でも、非常に重要になる。

低所得層の子供たちの非認知能力をごく幼い時期に育てたいと願う者にとっていちばんの問題は、入園前プログラムで経験できる程度のつくられた体験では、あまり実行機能を発達させる助けにならない点である。実行機能は、環境との相互作用を通して形づくられる。その環境の中心となるのは、親やまわりにいる大人たちだ。これが政策の立案者にとってはジレンマにつながる。親や世話人、そして彼らが子供のためにつくりだす環境こそが、子供の将来を改善するためにごく幼い時期に使える最も有効な道具なのだが[5]、乳幼児への語りかけをどんなふうにするか、子供とどういったやりとりをするか、テレビをどれくらい見せるかといった親の行動のプライベートな部分を行政による介入のターゲットとすることには、多くの人々が抵抗を覚える。

このジレンマは現実の問題であり、解決策を見つけるのは容易ではない。しかし最近ルポを書くにあたって、幼時期の子供の環境、とりわけ人生の最初の三年の環境に焦点を合わせて活動するいくつかの組織に出会った。第九章から第一一章では、そうした組織が発展させた有力な介入方法をいくつか簡単に紹介しよう。親をターゲットとしたものもある。子供を支えて育む環境を、家の外につくろうとする試みもある。どれも完璧ではないが、貧困層の子供たちの人生に早い段階で介入するための新しい指針になるかもしれない。

9 アタッチメント（愛着）

一九八六年、ジャマイカの首都キングストンにある最貧困地域で、西インド諸島大学の研究者のチームがある実験をはじめた。三〇年以上にわたるこの実験は、親への介入の効果について数々の証拠を示してきた。[1] 一二九人の乳幼児とその家族を対象とした実験で、開始当初、この乳幼児たちには肉体面、あるいは精神面でなんらかの発達の遅れがあった。対象の家庭は四つのグループに分けられた。一つは、有資格の研究者による一時間の家庭訪問を週一回受けるグループ。この研究者は、子供と遊ぶ時間をもっと取るように——絵本を読みきかせたり、歌を歌ったり、いないいないばあ遊びをしたりするように——親を指導する。二つめのグループは、牛乳由来の栄養補助食品を毎週一キロずつ受けとる。三つめのグループは、補助食品と家庭訪問の両方を受ける。四つめのグループは対照群（コントロールグループ）で、何もしない。

介入そのものは二年で終了したが、チームはその後も子供たちを追ってきた（子供たちはいまでは三〇代前半である）。結果をいうと、子供の人生に大きな変化をもたらしたのは栄養の補助ではなく、もっと子供と遊ぶようにという親への指導だった。[2] 指導を受けた親の子供たちは、子供時代をよりうまく乗りきった。知能指数のテストの成績がよく、攻撃的な行動はすくなく、自制ができた。[3] こんにち、大人になった彼らの年収は、家庭訪問を受けなかったグループの子供たちよりも平均して二五パーセント高い。収入を含むあらゆる尺度から見て、発達に遅れのあった子供たちが、まったく発達遅れの徴候のなかった同年代の子供たちに追いついている。[4]

ジャマイカの実験で、貧しい親への家庭訪問には、予算を割いてもいいだけの潜在的効果があるとわかった。しかし訪問者による親への指導がごく一般的なものだったので、実験後にふたつの重要な疑問が残った。まず、親のどの行動がいちばん大事だったのか？　さらに、訪問者からのどの指示が、どういった方向づけが、不利な条件下にある親たちにその大事な行動を取らせたのか？

こうした疑問への答えについては、まだ不確かな部分が多い。こんにちのアメリカでは、家庭への介入方法はおおまかにいって三つあり、競合するものもあれば、部分的に重なるものもある。一つはおもに子供の健康をターゲットにしたものだ。もう一つは子供の認知能力、とりわけ語彙と読解能力をターゲットとしたもの。三つめは、子供と親との関係をターゲットにしたものである。

こんにちアメリカで最も広くおこなわれている家庭訪問プログラムは、おもに健康に焦点を合わせたものだ。〈ナース・ファミリー・パートナーシップ〉と呼ばれるプログラムでは、有資格の看護師を低所得の妊婦――ほとんどが一〇代の未婚女性――のもとへ派遣する（現在、三万を超える世帯がこのプログラムに登録している）。看護師は二年半のあいだ定期的に母親のもとへ通い、煙草をやめさせたりといった健康指導をおこない、子供を安全に育てる方法や、母親自身の生活をうまく軌道に乗せる方法などについてアドバイスをする。ナース・ファミリー・パートナーシップでは、母親たちを無作為に三つのグループに分け、どのグループの母親にプラスの効果があるかを研究している。どのグループで、子供への虐待が減り、逮捕されるような事態が避けられ、生活保護の受給が減るのか。[5] ほとんどの家庭では子供たちの精神の発達や学校の成績への大きな影響は見られないが、母親の知能テストのスコアが低かったり、精神状態が悪かったりする家庭では、介入によって子供たちの学業成績が実際に改善された。[6]

子供の語彙や読み書きのスキルをターゲットとした介入には、それほど確かなエビデンスはない。[7] この種の介入は、子供が幼いころに接する話し言葉・書き言葉は親の階級に大きく左右されるという現実を前提としている。裕福な家の子供たちはたいてい、より多くの本や印刷物に接している。また、裕福な親は低所得層の親よりも子供に多く――いくつかの概算によれば、はるかに多く――話しかける。使う言葉そのものもより複雑である。[8] こうした傾向は、入園時に低所得層の子供たちに言語面での大幅な遅れがあることの説明になる。

こうした現実を踏まえ、多くの研究者らがこの差を縮めるための実験的なプログラムをつくりだし、もっと子供と話したり本を読んだりするようにと低所得層の親たちに勧めた。しかし、このプログラムが長い目で見たときにほんとうに貧困層の子供たちの言語能力の改善につながっているのかどうか、信頼に足るエビデンスはなかなか見つからない[9]。乳幼児は、親が言葉を教えることに専念している瞬間だけでなく、つねに親から言葉を吸収している。だからもしあなたが親であり、限られた語彙しか持っていなければ――多くの低所得層の親はそうなのだが――子供の語彙を豊富にするのはむずかしい[10]。

そんなこともあって、いまでは最も見込みの高いアプローチは三番めのカテゴリー、つまり親子関係をターゲットとした介入だと考えられている。このカテゴリーの介入の多くは、心理学の用語でアタッチメント（愛着）と呼ばれる現象を子供の側につくりだすことを狙いとしている。一九五〇年代にイギリス、カナダ、アメリカの研究者らが発見したところによれば、生まれて最初の一二カ月のうちに温かく気配りの行き届いた子育てを経験した子供は、多くが親と強い結びつきを形成する。研究者たちはこれを「安定したアタッチメント」と名づけた。この結びつきによって、子供の心に安心感と自信が深く根づく。心理学の用語でいう「心の安全基地」ができるのだ。これがあると、成長したときに自力で思いきって世のなかの探検へと乗りだしていけるようになる。そうした自信と自立は、現実の世界で役に立つ。一九七〇年代にミネソタ大学ではじまった長期にわたる研究によれば、一歳の時点で母親とのあいだに安定したアタッチメントが見られた子供たちは、幼稚園では注意深く、物事に集中することができ、ミドル・スクールでは好奇心とレジリエンスを示し、高校を中退することなく卒業する確率が著しく高かった。[11]

人生を不安定にする貧困などの要因のせいで多くのストレスにさらされている親は、ストレスのない親の場合よりも、子供に対して配慮の行き届いた、おちついた反応をすること、つまり安定したアタッチメントを育むことがむずかしい。しかし近年、親が望ましい行動を学習することは可能であるとの理解が進み、研究者の関心を集めている。貧困層の親に対してアタッチメントを育むアプローチを勧める取り組みは比較的容易なのだ。[12]子育てへの介入が成功するとき、アタッチメントを育むことを狙いとしていなくても、結果としてそれができることもある。たとえばナース・ファミリー・パートナーシップのような健康に重点を置いた介入でも、あるいは「子供と一緒に本を読もう」プログラムでも、ジャマイカの実験のようなものでもいいのだが、家庭訪問によってもっと子供と遊んだり、本を読んだり、話したりすること——いい換えれば、もっと子供とのやりとりを増やすこと——を親に促しているうちに、親の行動が安定したアタッチメントを育てる効果を生むのである。

では、ストレスで疲弊した親とストレスで疲弊した子供のあいだに安定したアタッチメントを築きたいと思うなら、最良のアプローチは基本的には「情報」なのだろうか？　安定したアタッチメントにつながる行動やテクニックを、親に教えればいいのだろうか？

図7　幼稚園に入園した際、
アタッチメントが安定している子供は生活が良好である

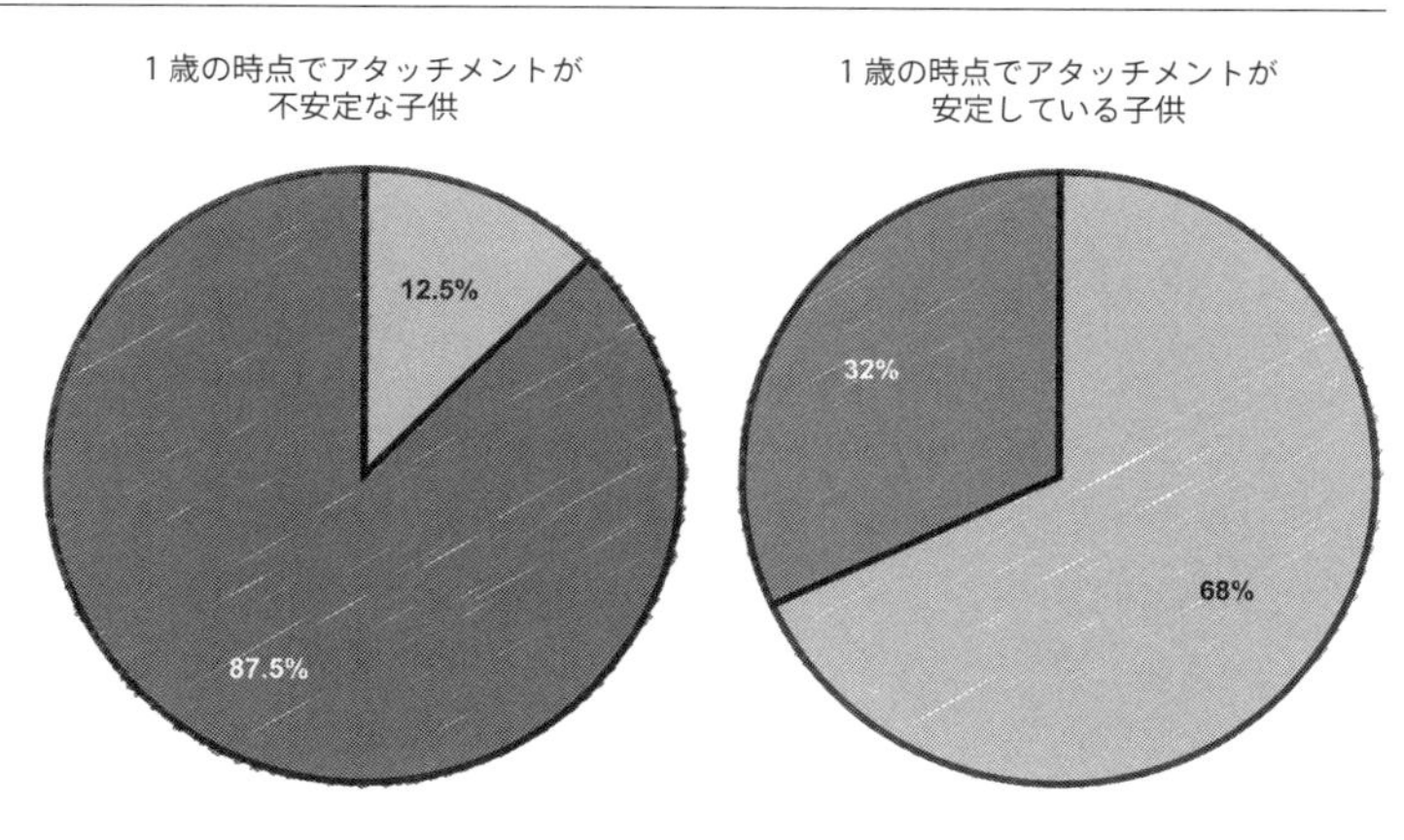

パンフレットか何かをつくって親に配れば、それで安定したアタッチメントに恵まれる子供が増えるのだろうか？

残念ながら、そう単純な問題ではない。対面での遊びや、おちついた声でのやりとり、微笑み、温もりのあるふれあいなどの特定の行動がアタッチメントを育む助けになるのは確かだが、多くの親にとって――とりわけ逆境に暮らす親、あるいは自身が子供のときにアタッチメントを形成できなかった親、あるいはその両方にあてはまる親にとって――望ましい子育てを阻むいちばんの障害は、推奨される行動のリストを覚えられないことではない。ほんとうの障害は、親自身がイライラしていたり、睡眠不足や鬱気味の状態にあったりして、泣き叫ぶ子供、汚れたおむつをしてろくに昼寝もしてくれない子供の相手をする気になれないことなのだ。疲れきった親たちに必要なのは情報だけではない。事実、アタッチメントに焦点を合わせた家庭訪問の成功例を見ると、子育てのヒントだけでなく、心理面、感情面の支援が提供されている。訪問者が共感や励ましを通して、子供との関係について気を楽にさせ、親としてこれでいいのだという安心感を持たせているのだ。

アタッチメントを育む介入が正しく導入されれば、親も子供も変わる。ミネソタ大学では、虐待が報告されたことのある一三七の家庭を対象としたべつの研究がおこなわれた[13]。対象となったのは、自身が過去にネグレクトや虐待を受けて育った親が、新たに自分の子供を持った家庭である。そうした家庭が対照群（コントロールグループ）と処置群（トリートメントグループ）に分けられ、前者は自治体からの標準的な福祉を受け、後者は親子関係に焦点を合わせたカウンセリングを一年間受けた。その年が終わる時点で、しっかりとしたアタッチメントが築けた子供は対照群では二パーセントしかいなかったが[14]、処置群では六一パーセントにのぼった。これはきわめて大きな差だ。貧困層の子供たちの将来の幸せにとって、非常に大きな意味を持つ結果である。

10　家庭への介入

二〇一五年七月のじめじめした日、私はニューヨーク市クイーンズの労働者階級の居住地区、セント・オールバンズを訪れ、ステファニー・キングの家で午後を過ごした。ステファニーは、ジュリアナとイザベラという姉妹の養母だ。ジュリアナはもうすぐ二回目の誕生日を迎える気立ての優しい女の子で、イザベラはまだ赤ん坊だった。私がこの家に来たのは、マルガリータ・プレンサの家庭訪問を観察するためだった。マルガリータは〈アタッチメントと生物学的行動（バイオビヘイビアル）の回復支援（キャッチアップ）（ＡＢＣ）〉と呼ばれる家庭訪問プログラムで親のコーチを務めている。現在ニューヨーク市の四つの場所で実施されているこのプログラムは、児童保護や里親支援の仕組みの一環である。デラウェア大学の心理学者メアリー・ドージアがつくりだしたもので、アタッチメント心理学の理論を重視している。

　里親家庭にいる子供はたいていそうだが、ジュリアナも困難な環境に生まれついた。母親はヴァレリーという名の二〇代前半の女性で、ジュリアナが生まれたときにはニューヨーク市の女性保護シェルターで生活していた。生後一カ月のころ、ヴァレリーは週末のあいだ面倒を見てほしいといって、友人のステファニーとそのパートナー、カネイのもとへジュリアナを預けた。ところがその週末が終わると、ヴァレリーはジュリアナを引きとれないといいだし、迎えには来ずに、ジュリアナの服とほんのすこしのおもちゃを小さなバッグに詰めて送って寄こした。以降、ジュリアナはステファニーとカネイの保護下にあるが、ステファニーはいまも定期的にヴァレリーと会っており、ヴァレリーもようやく親権を取り戻そうと努力しはじめた。私がステファニーの家を訪ねる数カ月前、ヴァレリーは二番めの子供イザベラを産んだ。イザベラもステファニーとカネイの家で暮らしはじめるまでに、長い時間はかからなかった。

こうした不安定な状態は、里親の家で暮らす子供の発達を阻害する。それでもジュリアナは、私が一緒に過ごしたときに見たかぎりでは大丈夫そうだった。これはステファニーとの関係に負うところが大きい。ステファニーは髪を赤く染めた三〇代前半のアフリカ系アメリカ人で、親しみやすい笑い声とひとひねりのあるユーモアのセンスの持ち主だ。

ＡＢＣプログラムでは、親や里親が幼い子供とのつながりを、それもできるだけ密度の濃いつながりを築けるように、マルガリータのようなコーチが家庭訪問をおこなって支援する。私がステファニーとジュリアナを観察しているさいちゅうも、マルガリータは二人のお互いへの反応を見ながらコメントをつづけた。「子供のつくったきっかけに上手に反応したわね」「ほんとうにうれしそうな、いい笑顔！」「ジュリアナが泣きだしたとき、あなたはこの子のおでこを撫でた。いい対応だった。愛情のこもったしぐさね」こうした言葉をかけることの目的は、子供に対する小さな反応に自覚を促すことである。親子間のつながりやアタッチメントを強める行動を褒め、そこへ注意を向けさせることで、マルガリータはステファニーがよりよい子育てをできるように手助けをしていた。その際、まちがいを批判するよりも、うまくいった点に言及することで、よい子育てにむずかしい理屈はいらないのだと強調していた。実際、ステファニーはすでにたくさんのことをうまくこなしていた。

　私たちが家にいた時間の大半を、ジュリアナはマルガリータが持ってきたプラスティック製のスタッキング・カップ——カップがひとまわりずつ小さくなって、すべてを重ねると最も大きいカップのなかに全部きっちり収まるセット——で遊んで過ごした。途中、ステファニーとマルガリータがイザベラのことを話していたときに、ジュリアナは食べていたクッキーをぼろぼろに崩して一つのカップに入れはじめた。その後突然、ひと握りのクッキーをステファニーとマルガリータに向かって投げつけた。

「駄目でしょ」ステファニーはジュリアナのほうを向いて穏やかにいった。「そこらじゅうにクッキーをまき散らさないの」

「いいの！」ジュリアナがいい返した。ステファニーから一メートルほど離れた場所に、白いコットンのズボンとピンクのシャツという格好でふてぶてしく立っていた。

　ステファニーは赤ん坊を抱いたまま立ちあがった。「じゃあ、もうクッキーはおしまいね」

「やだ！」ジュリアナはかん高い声で答えた。

「いいえ、もうおしまいよ、クッキーがわたしのいる場所まで飛んできたんだから」ステファニーは手を伸ばし、ジュリアナが握りしめたクッキーの残りを回収した。「それをこっちにちょうだい。はい、ありがとう」

ジュリアナは泣き声をあげはじめた。「だめー！」

ステファニーはキッチンのゴミ箱へ向かい、クッキーのくずを捨てた。「座って」

「やだ！」そうはいいながら、ジュリアナは椅子のそばに行って腰をおろした。そして自分の手を見おろしながら悲しそうにいった。「もう、やだ！　クッキーがなくなってる！　全部なくなってる」

「そう、クッキーはもうおしまい」ステファニーがいった。

ジュリアナは立ちあがって泣きはじめた。このときには、ステファニーは居間に戻っていた。そして膝をつき、ジュリアナにスタッキング・カップの一つを手渡した。「ほら、座って。これで遊べるでしょう。でもクッキーはおしまいよ」

ジュリアナはちょっと鼻をすすると、またスタッキング・カップで遊びはじめた。

「大丈夫?」ステファニーが尋ねた。

ジュリアナはうなずいた。

二人とも大きなカップを見ていた。ジュリアナがそれをひとまわり小さなカップに入れようとするが、うまくいかない。

「それはそこに入るの？」ステファニーが尋ねた。「ほら、こうよ」

　黙って座ったまま一部始終を見ていたマルガリータが、ステファニーのおちついた接し方を褒めた。「いい対応だった。ずっと冷静だったし、子供がつくったきっかけにうまく乗った」ステファニーは微笑んだ。

　些細な出来事だが、ステファニーのどの選択が助けとなって、ジュリアナが大きく動揺しなくて済んだかがよくわかる。ステファニーは終始声を荒らげず、ジュリアナの関心をべつのものに向けさせ、ルールは断固として譲らなかったが、ジュリアナの感情に同情を示した。べつの選択をしていたら、たとえば追いつめられた母親が思わずやってしまうような反応をしていたら――ジュリアナのふるまいを自分への攻撃と捉え、大声で叱り、罰や仕返しにこだわってなかなか次の行動へ移らなかったら――ジュリアナのストレスのレベルは、この日の午後だけでなくその後もずっと高いままだっただろう。

　ドージアと研究者らがＡＢＣプログラムの親（里親を含む）と子への影響を調べると、複数の指標にプラスの効果が見られた。ある研究で判明したところによれば、ＡＢＣプログラムによる一〇回の家庭訪問を受けた里親の家庭では、子供たちは非常に高い割合で安定したアタッチメントを示し、よりうまく自分の行動を制御できるようになった。[1] また、子供たちのストレスのレベルも改善した。重要なストレスホルモンであるコルチゾールの毎日の上昇・下降のパターンが、ストレスの高い里親家庭の子供によくある異常値を示さなくなった。それどころか、ＡＢＣプログラムを受けたあとの子供のコルチゾールのパターンは、問題のない実の親の家庭で暮らす子供とほぼ変わらなくなった。[2]

クイーンズ訪問の数週間後、私はユージーンにあるオレゴン大学の〈ストレス神経生物学・ストレス予防研究所〉を訪れた。ここでは心理学者のフィル・フィッシャーを中心とするチームが、親への介入プログラムの研究を進めてきた。彼らのプログラムは多くの面でＡＢＣと似ているが、一つだけ大きなちがいがある。子供の不安やストレスを引き起こす親の行動を減らし、アタッチメントの構築や自己調整のできる子を育てるためのツールとして、デジタルビデオによる記録動画を使うのだ。[3]

フィッシャーが二〇一〇年に導入したビデオ使用プログラムは〈発達を助けるやりとりの撮影（ＦＩＮＤ）〉と呼ばれている。根底にある戦略は、マルガリータがステファニーにしていたのとおなじこと、つまり親子のやりとりのなかで最も子供のためになる行動に親の注意を向けさせることだ。ＦＩＮＤでは、マルガリータのようなコーチがその場その場で指摘するのではなく、記録した動画から望ましい瞬間をクローズアップし、注意深く見なおすことで、親の意識に鮮やかに焼きつける。

ＦＩＮＤプログラムを使おうとする社会福祉機関は、訓練を受けたコーチのチームを雇う。このチームは毎日、危機的状況にある家庭をいくつか訪問する。家に着くとビデオカ

図8　母親がABCプログラムに参加すると、子供のストレスレベルが改善する

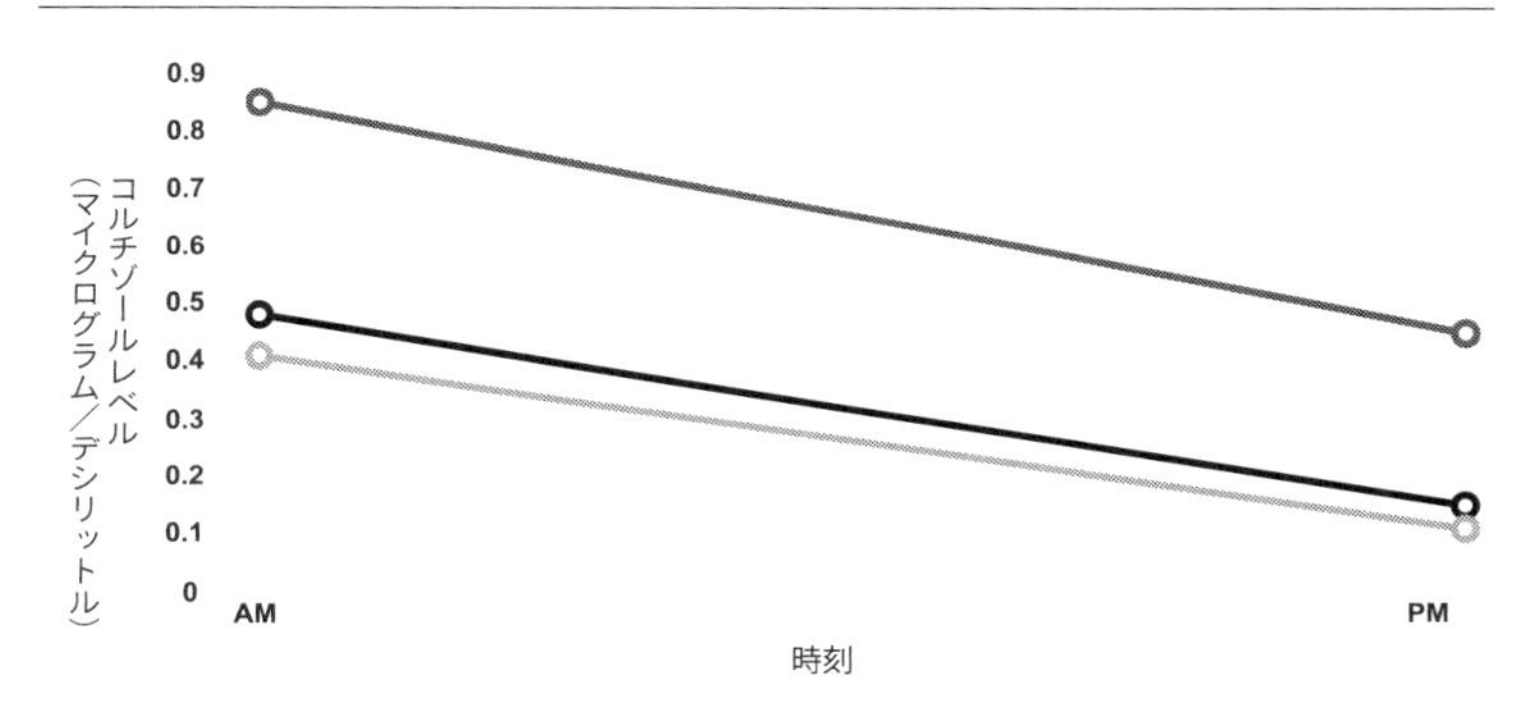

血流中のコルチゾールの上昇下降パターンは子供のストレスレベルを示す。

メラを設置し、訪問中の親子のやりとりをすべて、通常三〇分ほど録画する。夜になるとその日のビデオが編集され、子供にとってプラスに働いた三つの場面だけが残される。次回の家庭訪問のときに、コーチはノートパソコンやタブレットでそのビデオを再生して親に見せる。要所要所で止めながら、なぜそのやりとりが大切で、子供にとってプラスになるのかを親と話しあう。

フィッシャーは、ＦＩＮＤの根幹にある考え方を説明してくれた。「たとえ逆境そのものの家庭環境でも、子供のためになるやりとりは起こっています。そうした家庭の親に、うまくできないことばかりを意識させるよりも、たった一つのプラスの瞬間に照準を合わせるのです。

その瞬間をスロー再生し、目を向けてもらう。親に伝えたいのは、〝新しいことを覚える必要はなく、あなたがすでにしていることを見ればいい〟ということです。そういう瞬間をもっと増やせば、子供は変わります」

11　家庭を超えて

ＡＢＣやＦＩＮＤは、乳幼児の家庭環境を深いところから少しずつ変え、親子関係をゆっくり変えることで、子供のその後の人生を改善しようとする。これと似た心理学のアプローチで、子供たちが幼いうちに過ごす家庭以外の場所を改善しようとするプログラムもある。そうした介入のうち、最も徹底しているのは〈エデュケア〉だ。エデュケアはアメリカ各地にある幼児教育センターのネットワークで、低所得層の子供たちのために丸一日の預かりと幼稚園を提供しており、生後六週めから五歳までを対象としている。

二一のセンターで三〇〇〇人を超える子供の世話をするエデュケアを見てわかるのは、きわめて貧しい家庭の子供でも幼稚園に入るまえに学ぶ準備を整えることは可能だが、そのためには集中的な（いうまでもなく費用のかかる）早期の介入が必要であるという事実だ。現在のエデュケアでは、一人に年間およそ二万ドルかかる。これは郊外の高級住宅地にある公立高校にかかる金額とだいたいおなじだ（エデュケアに参加している家庭は授業料を払っていない。資金の約一六パーセントが慈善家からの支援、残りは国の〈ヘッドスタート〉〈アーリー・ヘッドスタート〉の資金や、貧困世帯向けの補助金から出ている）。

一般的に、エデュケアに参加している子供たちは最貧困地域で深刻な問題を抱えた家庭に暮らしていることが多く、統計的に見ても、入園の時点ですでに同年代の子供たちからあらゆる面で大きく遅れをとっている。実際、研究によれば、裕福な家庭の子供たちと貧困家庭の子供たちのあいだの学習到達度の差は、五歳になるまえにひらく。そして多くの場合、その差は幼稚園から高校卒業までひらいたままである。[1] エデュケア・プログラムでは、不利な背景を持つ子供たちがこの差を解消するためには、二つのことが必要だと考えられている。一つは、三歳か四歳で質の高い就学前プログラムに参加して文字や数字をしっかり覚えると同時に、人とつきあう能力、みずからやる気を高める能力、心の強さなどの基礎を安定させておくこと。しかしそれよりもまず、幼稚園に入るまえに、人生最初の三年間を、大人との温かいやりとりが成立する環境で過ごす必要がある。それが家庭で得られないのなら、エデュケアが提供する場所で手に入れなければならない。

私が訪問したタルサとシカゴとオマハのセンターは、すべてすばらしい設計で運営も円滑だった。自然光がたっぷり入る部屋、しっかりとつくられた遊具、きちんと教育されたプロのスタッフ。エデュケアの方針では、読み書き算数の能力と同様に、非認知能力の発達を促すことも強調されている。センターにいる子供たちは、前頭前皮質を強化し、健全な実行機能の発達を促す養育環境に囲まれている。私が見学した就学前児童の教室の環境は、どれも子供の興味をそそる刺激的なもので、しかも温かくおちついた雰囲気だった。乳幼児の部屋では、子供たちは抱かれたりゆるく揺らされたりしながら、言葉や歌や読み

図9　エデュケアに2年以上参加した子供は、州が定める基準を超えた読解力を身につける

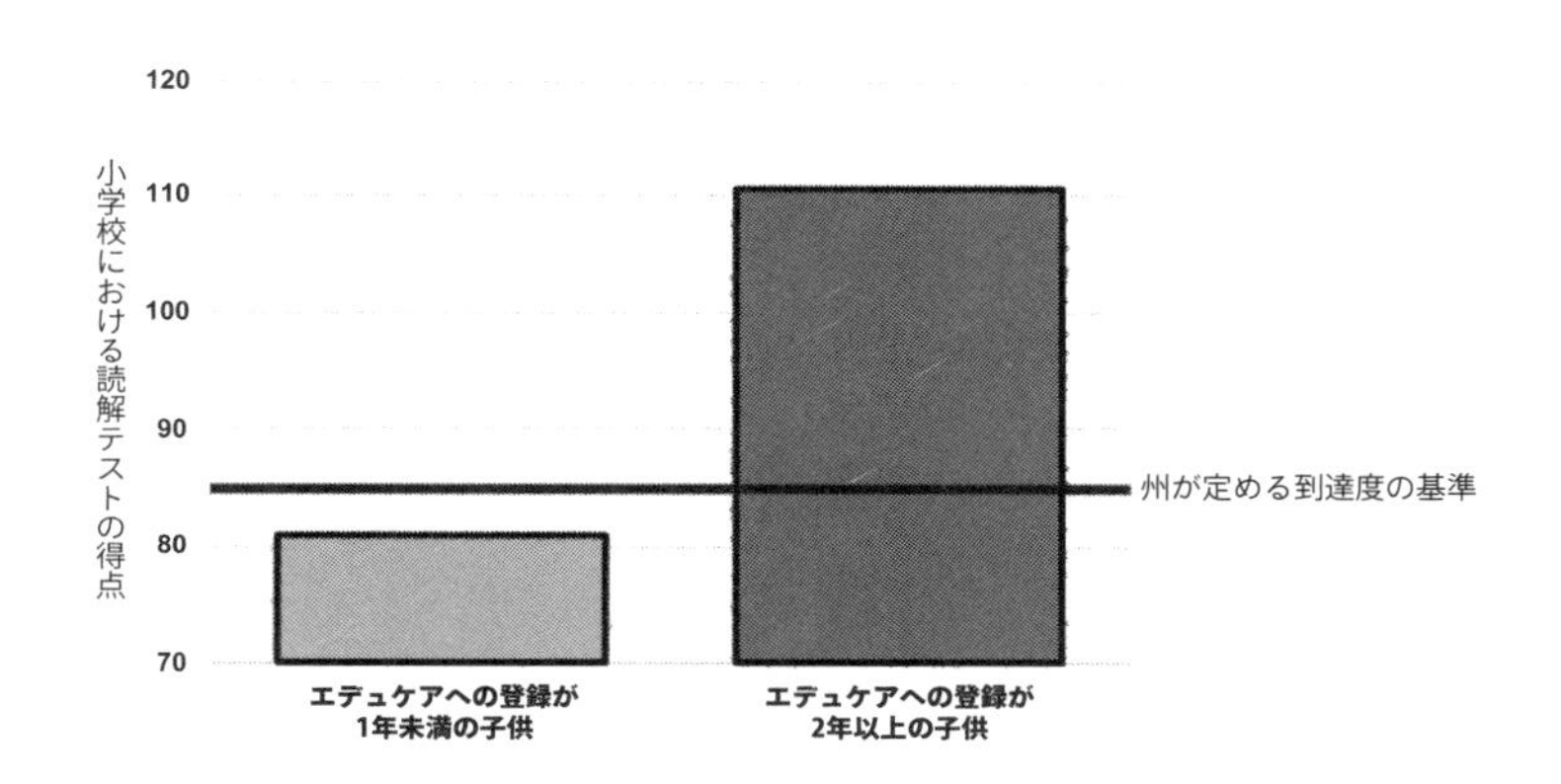

聞かせに耳を傾けていた。たとえ子供たちの自宅がストレスのたまる場所であっても、日々センターで経験する共感に満ちた対応が、混乱した家庭の悪影響を乗りこえるための大きな助けになる。エデュケアのディレクターはそう信じている。

エデュケアでは現在、長期にわたるランダム化比較試験をおこなっている。これがあと数年で完了した際には、プログラムの効果が決定的に立証されるはずだ。初期段階の結果からすでに、エデュケアに参加した子供に強力な効果が見られている。一歳の誕生日を迎えるまえにエデュケアに入った子供の多くは、幼稚園に入るころには基礎的な知識や言葉の理解において国内の平均に追いついており、アタッチメントや自発性、自制心といった非認知能力においてもほかの子供たちに追いついている。[2] また、エデュケアの提唱者らによれば、経済的な側面から見ても、こうした子供たちを遅れたまま放置せずに幼稚園の時点で格差をなくしておくことから生じる利益は——それをしなかった場合にかかる経費、つまり特別教育、少年法整備、社会福祉の費用を考えれば——エデュケアのコストを払っても余りあるという。

子供たちは毎週多くの時間をエデュケアのセンターで過ごす。しかもごく幼いうちから通うので、プログラムは当然、五歳になるまでの発達を大きく左右することになる。深刻な貧困のなかで育つ子供が同年代の恵まれた子供たちに追いつくためには、これくらい生活全般に関わる、子供がどっぷり浸かれるほどの支援が必要なのだ。

しかしここまで集中的ではない（かかる費用も少ない）介入を試し、子供たちの日々の生活環境における重要な要素に狙いを正確に定めて働きかけることで、特大の効果をあげようとする取り組みもある。たとえば〈みんなが家族（オール・アワ・キン）〉。現在コネチカット州の三つの都市で運営され、一五〇〇人あまりの子供たちの面倒を見ているが、一人にかかる費用は年間九〇〇ドルを下回っている。これほど効率がいいのは、幼児期の介入に関する議論でつねに見過ごされてきた部分、つまり無認可の児童保育施設を改善することに力を注いでいるからだ。こうした無認可施設では、子供たちは最低限の世話しか受けられず、身に危険が及ぶこともある。オール・アワ・キンは自治体に強く働きかけ、こうした無認可施設を自分たちの〈ファミリー・チャイルド・ケア・ネットワーク〉に登録させるよう呼びかけている。このネットワークでは、施設側は無料で定期的な保育訓練を受けられる。さらに、二週間に一度、高度な保育テクニックの見本を示し、長期的な指導や助言を提供する指導者の訪問を受ける。

ネットワークのおかげで、保育施設のケアの質が変わった。データによれば、ネットワークに登録している保育所は、同市内の未登録の保育所よりも、子供の発達に大きな貢献をしている。[3] 私はニューヘイヴンにあるオール・アワ・キンの関連施設を二カ所訪問したのだが、贅沢な設備とは無縁であるものの（二カ所とも最貧困地域にある小さな、ぼろぼろの家だった）、保育スペースは清潔で明るく、整理整頓されており、本や、お絵かき道具や、ごっこ遊び用のおもちゃなどがたくさん置かれていた。保育者は世話をする乳幼児に気持ちを集中し（どちらの施設でも預かっていたのは五、六人だけ）、いつでもサポートできるように——子供が動揺したり、小さな対立が起こりそうになったときに、気を逸らすか、あるいは抱きしめることができるように——待ち構えていた。

レバレッジの高い支援の例はもう一つある。〈シカゴ学校準備プロジェクト（ＣＳＲＰ）〉という、ニューヨーク大学の心理学者、シベリー・レイバーが開発した教員向け能力開発プログラムだ。低所得層の入園前教室に参加する子供たちの自制能力を強化し、教室で過ごす日々が教師・子供双方にとってストレスの少ないものになることを狙いとしている。[4]

CSRPに参加する教員は、教室運営のテクニックの訓練を受ける。どうやってきっちり日課と向きあわせるか、望ましくない行動をどう正すか、子供たちが感情を管理するのをどう手伝うか。すべておちついた雰囲気の教室を実現するためのテクニックだ。[5] メンタルヘルスの専門家も各教室につくのだが、子供とおなじくらい、教師の心の健康にも気を配る。

レイバーはこのアプローチを「双方向性の自制モデル」と呼ぶ。[6] 教室の空気はフィードバックの循環によって決まる、とレイバーは考えている。ごく幼いころの有害なストレスのせいで自制能力がうまく発達しなかった子供たちは、入園前の教室で何かを要求されるとたいてい感情をあらわにするか、粗野なふるまいをする。そこで教師が対立をうまく扱う訓練、あるいはストレス反応をうまく抑えきれない子供の爆発に対処する訓練を受けていないと、対立をエスカレートさせてしまう。それがさらに子供の爆発を激化させる。教室は敵意と怒りに満ちた場所になり、子供は脅かされていると感じ、教師はストレスで燃え尽きる。そして、行儀よくふるまうこと自体が、年間を通じて最大の課題になってしまう。[7]

しかしレイバーの主張によれば、フィードバックの循環は反対の方向にも働く。もし一年の最初から教室が安定していれば——明確なルールがあり、一貫性のある規律が保たれ、悪い行動を罰するのではなく、よい行動に注目することができれば——子供たちは脅かされていると感じることもなく、建設的でない衝動をよりうまく自制することができる。こうして子供たちの行動が改善され、教室に割り当てられたメンタルヘルスの専門家のサポートを受けることもできれば、手強い四歳児を教えるというストレスの避けられない仕事のなかでも、おちつきとバランスを保っていられる。

最近発表されたＣＳＲＰのランダム化比較試験の結果によれば、入園前の一年をＣＳＲＰの教室で過ごした子供たちには、その一年が終わった時点で、対照群の子供たちよりも格段に高い注意力と、衝動を抑える大きな力と、よりよい実行機能の働きが見られた。[8] 自制能力の改善は、静かに座っていられる、指示に従うことができる、気が散る出来事があっても集中力を保てるといった行動面と、認知能力の両方に表れていた。ＣＳＲＰの恩恵を受けた子供たちは語彙も多く、綴りも計算もうまくできた。しかし教師たちが受けた訓練には、教科指導は含まれていなかった。[9] 子供たちの成績があがったのは、対立や不調和に気を散らされることなく、教わっている内容に集中できたからだ。教室の環境を変えることで、勉強が楽にできるようになったのだ。

12 学習のための積み木

先述のとおり、幼稚園の初日は教育行政にとって重要な区切りである。ほとんどの州で、「幼児期前期」が正式に終わりを告げ、法律の上でも公的機関がすべての子供の教育に責任を持つようになる。しかし現実には、子供の発達の長い旅路のなかで、幼稚園の初日にいきなり何かが大きく変わるわけではない。子供は依然としておなじ子供であり、それまでその子供の発達を導いてきたのとおなじ社会、環境、心理的な力関係に揉まれている。もちろん、成長に伴う変化はある。実行機能は、ごく幼いうちも非常に重要な能力だったが、これが深化して、さらに複雑な習慣や心のありよう、性格の強みへと発展する。けれども子供時代を通じてつづくこうした成長は、学校で決められた時間割とはほぼ無関係に、ときにはゆっくりと、ときには突然ほとばしるように起こる。

それでも入園の日は、大半の子供にとって、成長に影響する環境が変わる重要な節目ではある。これより先、多くの子供たちが日中の時間を親と過ごすよりも長く、担任と過ごすようになるのだ。この変化には重要な要素がふたつ含まれている。まず、実際的な問題として、貧しい子供たちの環境に介入する場合、五歳以降は家庭よりも幼稚園や学校に注意を向けたほうがおそらく効率がよい。もう一つは発達の問題である。逆境で、ストレスを抱えて育ってきた子供たちが、ついに新しいステージに立ったのだ。それまで受けてきたストレスが、これからはさまざまなかたちを取って現れる。

大きな逆境の経験なく育った子供たちにとっては、幼稚園にあがるまでの能力の発達過程は、たいてい望ましい道筋をたどっている。親や世話人と、穏やかで安定したやりとりを重ねてきた子供たちの場合には、注意を向けたり集中したりするための能力の土台となる神経の連結ができあがっているはずだ。幼児期のストレスが発達中の神経システムに「警戒を怠るな」「困難な人生に備えよ」という信号を送るのとおなじように、ぬくもりや敏感な反応はそれと反対のメッセージを送る。「きみは安全だ」「先ゆきは明るい」「ガードをおろせ。まわりの人が守ってくれるし、養ってくれる」「好奇心を持て。世界はすばらしい驚きにあふれている」。こうした信号は適応のきっかけとなる。子供はゆとりを持って、問題や決定についてより注意深く考えることができ、長期的な視野に立って物事を考えられるようになる。長い目で見たときの利益のために、いま目のまえにある満足を進んで我慢できるようになる。

こうした能力は、必ずしも学業に関わるものには見えないかもしれないが、幼稚園以降の学校生活でよい成績をあげるのにおおいに役に立つ。もしこうした性質が身についていなければ、幼稚園での生活への移行はずっと困難になる。習得するよう求められる物事が多すぎて圧倒されてしまう。神経認知機能障害は、すぐに学習の機能不全に結びつく。

教科書のページに集中できない子供たちは、決められた期間内に読むことができるようにならない。感情や不安が神経システムの負担になり、気が散ってしまう子供たちは、数感覚の基礎を身につけられない。勉強そのものがむずかしくなるにつれ、そういう子供は落ちこぼれる。落ちこぼれることによって、ますます自分も学校もいやになる。それがさらなるストレスを生み、問題行動の原因となる。問題行動は教室での非難や罰につながり、ストレスのレベルは高いまま、ますます何事にも集中できなくなる。こうした悪循環が小学校に通うあいだずっとつづく。

このような感情面、精神面の能力は幼児期の体験に根差しているので、幼稚園から一二年生までを担当する教育者の多くは、親や幼児期前期に担当した教員のせいだと思いこんでいる。つまり、基本的なスキルを身につけずに幼稚園にあがってしまうと、子供たちはそれを伸ばすような援助を受けられない。学校管理者はたいてい、どう手助けしたらいいかわからず途方に暮れてしまう。

何年か早送りして、こうした生徒たちがミドル・スクールやハイ・スクールにあがったころのことを考えてみよう。このころになると、実行機能の問題は多くの教師や学校管理者の目には「態度が悪い」あるいは「モチベーションが低い」ように映る。しかし、ハーバード大学の児童発達研究センター所長、ジャック・ションコフが指摘するところによれば、教師たちのそうした認識は、重要なコンテクストを見逃していることから起こる。

「ごく幼い時期に、過剰なストレスの緩衝材となってくれる人間関係のない環境で育った子供に対しては、たとえば一〇年生の数学のクラスでやる気を示せないとしても、ぐずぐず文句をいわずにやればいい、とはいえないかもしれません。多くの場合、集中力や作業記憶、認識力の柔軟性の問題なのです。それに、こうした能力が育っていないのは、幼少期にあった出来事のせいかもしれません」とションコフはいう。

ニューヨークを拠点とする非営利団体、〈ターンアラウンド・フォー・チルドレン〉は、二〇一六年に作成した報告書のなかで、こうした幼少期の能力を「学習のための積み木」と呼んだ。[1]ブルック・スタフォード-ブリザールというコンサルタントが書いたこの報告書によれば、レジリエンス、好奇心、学業への粘りといった高次の非認知能力は、まず土台となる実行機能、つまり自己認識能力や人間関係をつくる能力などが発達していないと身につけるのがむずかしい。こうした能力も、人生の最初期に築かれるはずの安定したアタッチメントや、ストレスを管理する能力、自制心といった基幹の上に成り立つ。「教育者が子供たちのこうした能力や心のありようを優先せず、学習と統合して考えることもしないなら、生徒たちは仕事をするための道具がない状態、つまり学ぶための言語がない状態のままになってしまう」とスタフォード-ブリザールは述べている。さらに、そうした能力がなければ「生徒たちは毎日やってくる大量の指示を処理できず、指示に沿って物事を進めることが、できないとはいわないまでも、ひどく困難になる。これが達成度の差となって現れる」という。[2]

「積み木」というのは、おもに理論上のモデルでしかない。しかし、子供の発達に関心のある人々や教師にとって、このモデルは貴重なレンズとなる。このレンズを通して見れば、教室で不利な状況にある子供たちの問題を見る目もおのずと変わる。私たちは、ミドル・スクールやハイ・スクールの生徒たちに、がんばり通すこと、レジリエンスを持つこと、障害物に直面してもやり通すことができるようになってほしいと願う。だが、そうした能力が深く根差す場所について、子供たちが順に踏むべき発達のステップについて、立ち止まって考えることはあまりない。

この後のいくつかの章では、特定の支援について説明するのではなく、ションコフやスタフォード－ブリザールのいうプロセスについてもっと詳しく見ていく。幼児期の逆境から多くの貧困家庭の子供に起こる神経生物学的な適応は、正確にはどのように人間関係や勉強での苦労につながるのか？　学校はこうした生徒たちにどのように対応しているのか？　よりよい結果を生むために、現行のアプローチに代わるものはあるのだろうか？

図10　学習のための積み木

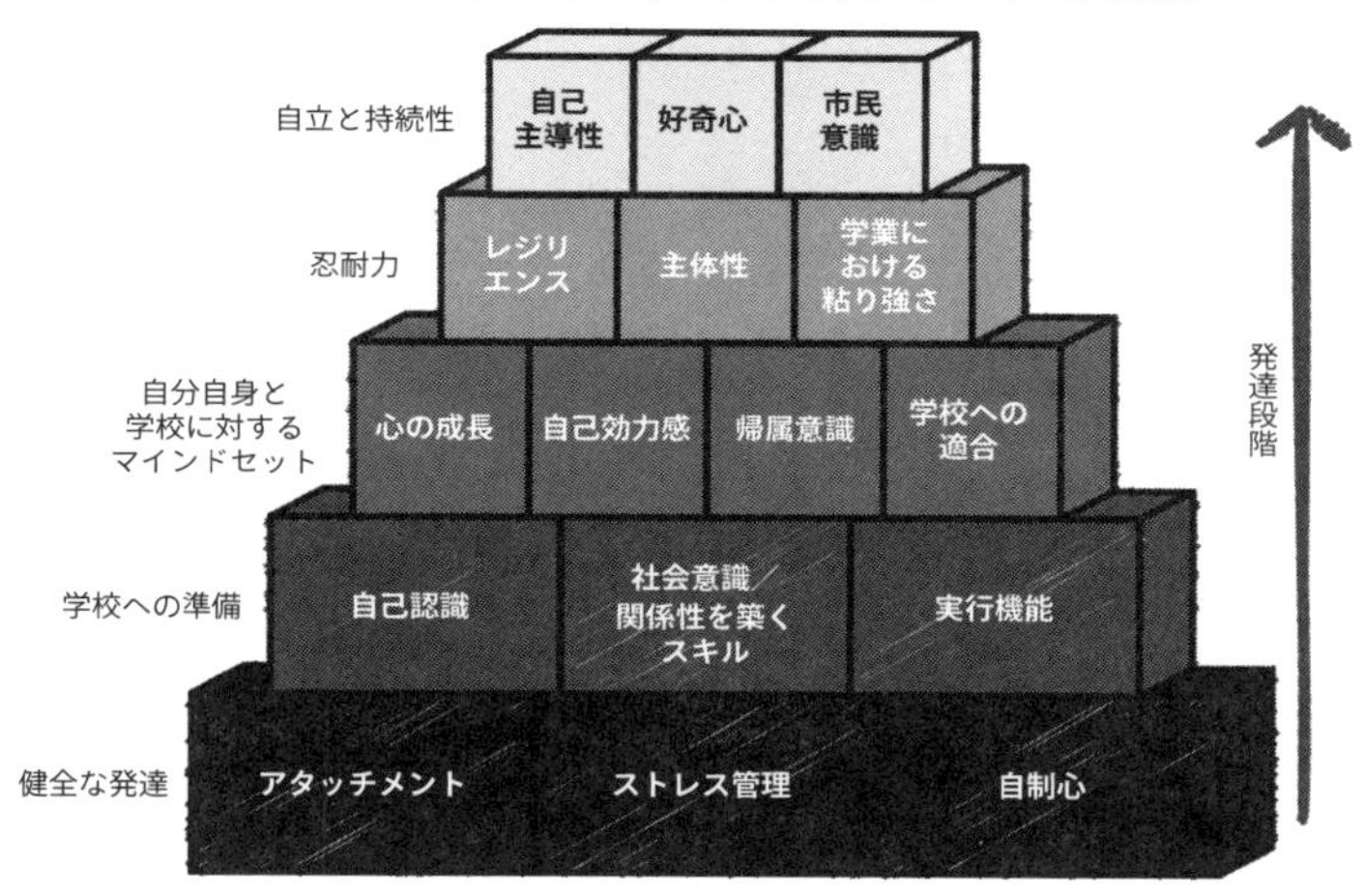

13　規律

「学習のための積み木」について書いたレポートのなかで、スタフォード-ブリザールはこう述べている。深刻な逆境にさらされてきた子供たちが学校でいちばん必要としているのは「ストレス反応から影響を受けているはずの能力を、改めて発達させるチャンスである。それは、絆をつくる能力、ストレスを調整する能力、何より自制する能力だ」。しかし現実には、こうした能力に欠けるために苦労している生徒たちは、学校システムのなかではこう見なされている。「どうしたら規律を守らせることができるのか？」学校側には、子供が健全な自制のメカニズムを発達させられずにいることがわかっていない。彼らの目には、単に問題行動をくり返す子供としか映らないのだ。

私たち大人は、子供が何か悪いことをしたときに、直感的にこう決めてかかる。「子供がこんなことをしたのは、自分の行動の結果を理性的に考えて、代償よりもその行動による利益のほうが大きいという計算が働いたからだ」そこでふつうは子供たちが受ける罰を重くして、悪いおこないの代償を大きくしようとする。しかしこの方法に効果があるのは、悪いおこないがほんとうに理性的な打算の産物だった場合だけである。ところが実際には――これは神経生物学の研究によって判明した重要な点の一つでもあるのだが――若者の行動、とくに深刻な逆境を経験してきた若者の行動は、多くの場合、理性とはかけ離れた感情や精神やホルモンの影響を受けている。

もちろん、だからといって、教室での悪いおこないを教師が許したり無視したりすればいいわけではない。だが長い目で見たとき、問題を抱えた若者の動機づけとして、なぜ厳しい罰則では効果がないのかはこれでわかる。学校の規律に関するプログラムは、罰を与えることよりも、生徒がみずから自制能力を発達させようとする状況や仕組みをつくりだすことに重点を置いたほうが、もっと効果があがるはずである。

こんにち、アメリカの学校の大部分は、一九八〇年代、九〇年代と変わらない方針に従って運営されている。八〇～九〇年代といえば、暴力やドラッグの使用などの非行については「いっさい許容しない（ゼロ・トレランス）」態度で望むほうが、学校の安全や効率を守れると信じられていた時代だ。その結果、停学の件数が急激に増加した。この傾向は国内の大部分でつづいている。二〇一〇年の調査では、全国の公立高校の生徒の一〇分の一以上が、少なくとも一回は停学処分を受けたことがあった。[1] 停学の割合は特定の層において大幅に高くなる。全国的に見て、アフリカ系アメリカ人の生徒の停学者数は、白人の生徒の三倍である。[2] シカゴの高校では（シカゴには停学についてよく分析された、とくに良質なデータがある）、二〇一三年から二〇一四年にまたがる一年度のあいだに、市の最貧困地域に暮らす生徒のうち二七パーセントが出校禁止処分を受けており、そのうちの三〇パーセントが虐待やネグレクトを受けた経験があった。[3]

シカゴの出校禁止処分の六〇パーセントは、暴力とはまったく関係のない違反行為によるものである。「学校のスタッフへの反抗」「規律を乱す行為」「校則違反」などだ。[4]「学習のための積み木」が頭にあれば、この種の行動、つまり大人にやりなさいといわれたことを拒否しているだけの行動は、態度の悪さや反抗的な性格の表れではなく、ストレス反応システムがうまく調整されていないせいだと容易に見て取れる。教室で口ごたえをしたり、勝手なふるまいをしたりするのは、少なくとも部分的には、子供が衝動を抑えることができないせいか、あるいは対立をやわらげることや、怒りなどの強い感情をコントロールすることができないせいだ。たいていは、ごく幼いころに実行機能の発達が阻害されたために起こる自制心の混乱のせいなのだ。神経生物学の研究成果を踏まえるなら、出校禁止処分が生徒の自己管理能力を改善するのにおおいに役立つとはとてもいえない。むしろその生徒がますます勉強で苦労するようになるだけだ。[5]停学になる生徒は、すでに落ちこぼれている場合が多い。シカゴでは、成績評定平均値（ＧＰＡ）が下位四分の一の高校生は、上位四分の一の高校生よりも、停学になる確率が四倍高い。[6]

停学処分を擁護する人々は、処分を受けた生徒本人には弊害があるとしても、教室に残された生徒たちにとっては有益であると主張する。常習的なトラブルメイカーがいなくなれば、教室はおちついた雰囲気になり学習効率もあがる、というわけだ。しかし、

図11 不利な条件下にある高校生は、他の生徒よりも停学になりやすい

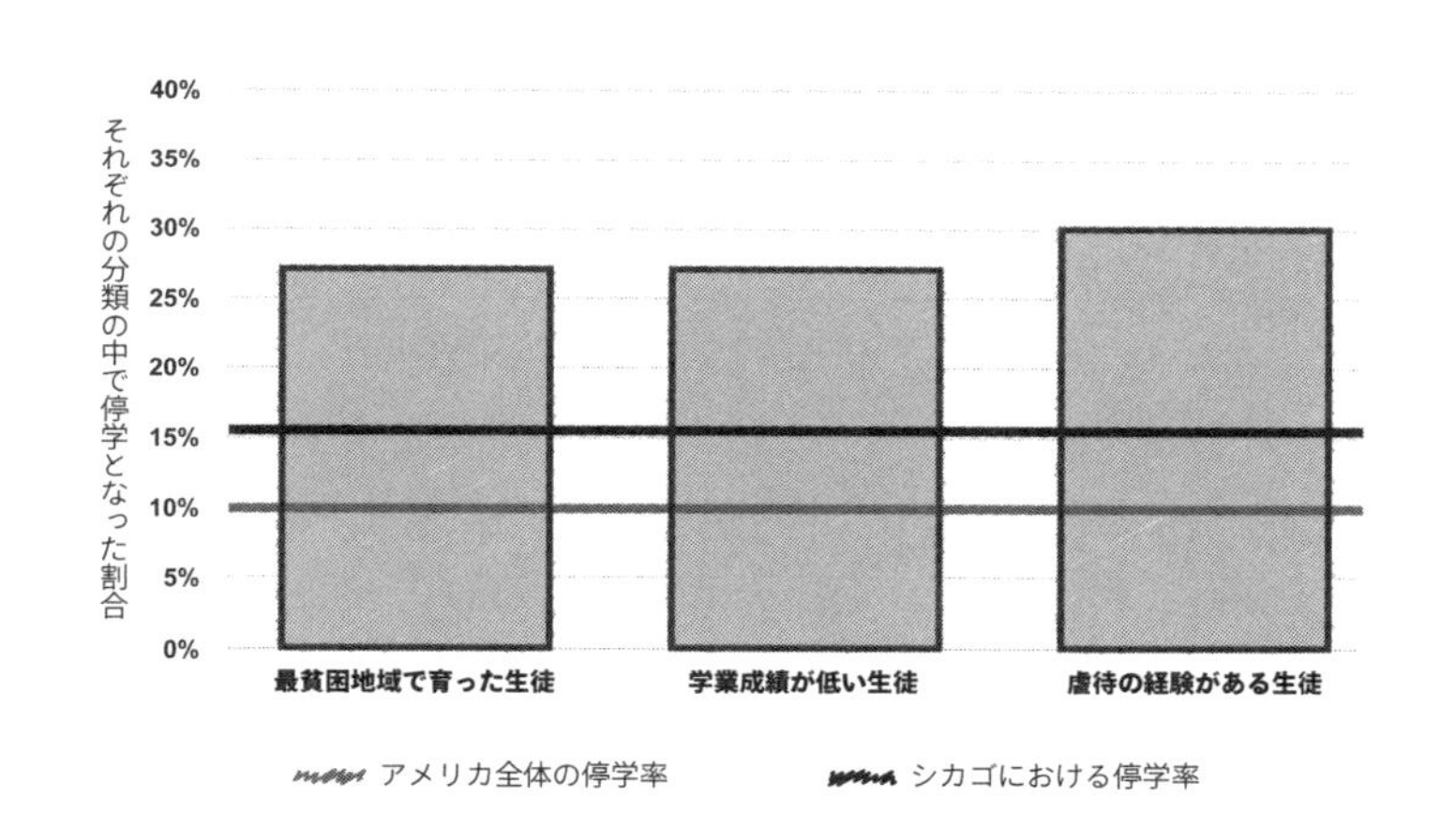

図12 シカゴの高校における停学の大半は、暴力的な行動以外の理由による

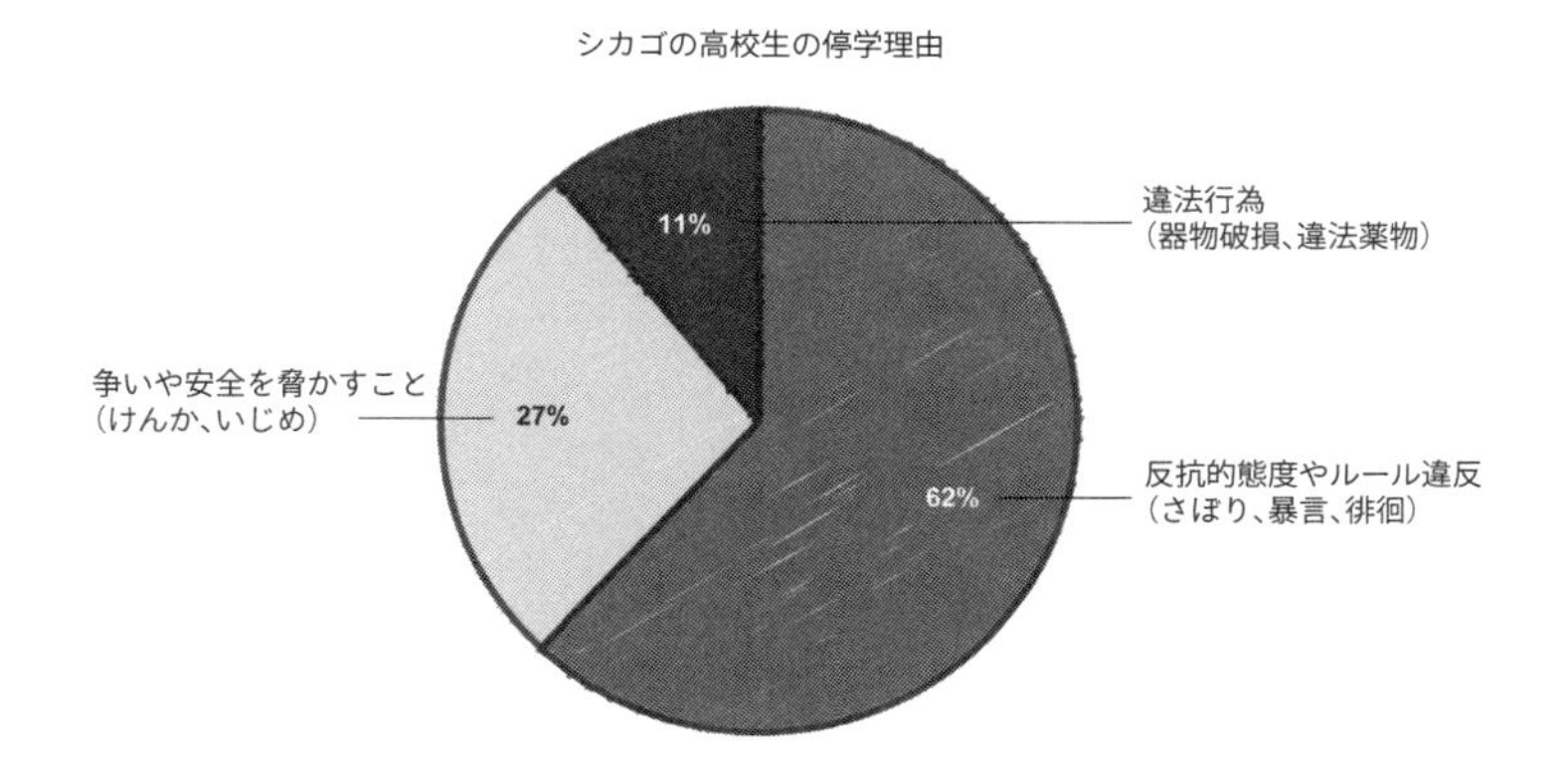

ケンタッキー州の都市部で一万七〇〇〇人近い生徒を対象におこなった二〇一四年の研究では、それとは反対の結果が出た。[7] 対象となった複数の学校のうち、停学処分の多く出たところでは、停学になったことのない生徒の数学と読解の学期末試験の結果が、人種にかかわらず落ちていた。[8] もしかしたら、厳しすぎる規律のほうが、問題行動のあるクラスメートよりもストレスと不安の原因になったのかもしれない。あるいは、あたりまえの罰則として停学に頼ることをしない教師のほうが、荒れた生徒をなんとかおちつかせ、混乱した教室に秩序と平穏を取り戻す方法を見つけられるのかもしれない。理由はどうあれ、クラスメートの停学が多い教室では、トラブルに巻きこまれたことのない生徒さえ、学習効率の悪い雰囲気をつくることに加担してしまうのだ。

14　インセンティブ

こんにちアメリカの学校で実践されている大部分の規則の背景にあるのは――そして一九九〇年代からずっと優勢だった「いっさい許容しない（ゼロ・トレランス）」方針や停学を多発するアプローチの背景にあるのも――行動主義だ。行動主義的なアプローチの背後には、人は「インセンティブ（刺激）」と「強化」に反応する、という考え方だ。つまり、ある行動に対して肯定的な強化が得られれば、人間はもっとそれをするようになるし、否定的な強化を得たなら、あまりそれをしなくなる、という図式だ。アメリカの教育界ではこの考え方が非常に優勢で、改めて口にされることもない。多くの学校で、年度はじめの最初の数週間は、クラスの規則についての話し合いにたくさんの時間が割かれる。インセンティブになるものとならないものは何か。ご褒美のステッカーやピザ・パーティーと、罰則の居残りや停学についてどう実施するか。多くの教室で、こうした話し合いは多かれ少なかれ一年を通しておこなわれる。

もちろん、ある程度は行動主義がうまく働く場合もある。人々は、子供も含め、少なくとも短期的に見た場合には、行動のきっかけによく反応する。しかし研究により徐々にわかってきたところによれば、教育における賞罰の効果には限界があり、とくに神経や精神の発達が強いストレスの影響を受けてきた若者には、直接的な賞罰システムでは効果がない。

ハーバード大学の著名な若き経済学者、ローランド・フライヤーは、ここ一〇年のあいだヒューストン、ニューヨーク、シカゴなど、貧困地域のあるアメリカの都市の公立学校に通う生徒を対象とした実験をおこない、あらゆる種類の報奨制度を試してきた。ＰＴＡの会合に出席した保護者、本を読んだ生徒、生徒のテストの点数をあげた教師らに報奨金を支払った。もっと一所懸命に勉強するようにと、子供たちにインセンティブとして携帯電話を与えた。[1] フライヤーが配った報奨金や賞は全部で何百万ドルにもなる。アメリカ史上最大にして最も徹底した教育実験をおこなった研究といえる。

しかしながら、このインセンティブ・プログラムには、ほぼすべてのケースでまったく効果がなかった。フライヤーはニューヨーク市で二〇〇七年から二〇一〇年まで、市の教育課および教員組合との合同プログラムを監督、評価した。これは市内の教育困難校のいくつかで、インセンティブとして教師に七五〇〇万ドルにのぼる現金を配布するプログラムだった。[2] 四年間これを実施したあとのフライヤーの結論は？　「教師へのインセンティブが生徒の成績、出席率、卒業率をあげると信じるに足りる証拠はまったく見つからなかった。報奨のおかげで生徒や教師の行動が変わることもなかった。反対に、とくにマンモス校では、教師に対するインセンティブが生徒の成績を下げたことはあった」[3]

シカゴ、ダラス、ニューヨークの三市では、二〇〇七年から二〇〇九年までのあいだに総額九四〇万ドルの現金を二万七〇〇〇人の生徒にインセンティブとして配った。ダラスでは読書に対して、ニューヨークではテストの得点に対して、シカゴでは教科の成績に対して報奨を与えた。またもや効果はなかった。「実験の結果は驚くべきものだった。生徒の成績に関する金銭的なインセンティブの効果は、どの市でも統計的にゼロだった」[4]

二〇一〇年から二〇一一年にかけてヒューストンでおこなった最後の実験では、公立の教育困難校二五校の五年生に対し、インセンティブとして現金を与えた。また、その生徒たちの親と教師にも現金を渡した。目的は、算数の自宅学習時間を増やし、標準テストの得点を上げることだった。[5]子供たちはお金をもらうのに必要なだけの勉強はしたが、七カ月後の算数のテストの平均点にはまったく変化がなかった。さらに、読解のテストの得点は下がっていた。[6]

ヒューストンの実験では、テストの得点にほんの少し改善が見られたこともあったのだが、それはもともと成績のよい子供たちだけの現象であり、成績の悪い子供たちは変わらなかった。[7]似たような現象はべつの実験でも見られた。ノースウエスタン大学の経済学者、ジョナサン・ガーヤンがおこなった実験では、子供たちの読解能力を改善しようと、夏のあいだの読書に対してインセンティブを与えた。[8]夏休みのあいだに読んだ冊数に応じて現金がもらえるのだ。インセンティブに応じて子供たちの読了数はいくらか増えたが、読解テストの得点の平均は変わらなかった。[9] そしてヒューストンのケースとおなじく、ガーヤンの実験でも、ほんの少し改善が見られたのはもともとモチベーションの高い子供たちだった。モチベーションの低い、反抗的な子供たちには——ほんとうはこちらが支援のターゲットなのだが——なんの効果もなかった。[10]

15　モチベーション（動機づけ）

なぜインセンティブを利用したプログラムは、本来の対象であるモチベーションの低い生徒や、貧困層の生徒に効果がないのだろうか？　この大きな疑問は、インセンティブに関する特定のプログラムのみの問題を超えて、本書の核をなす疑問にもつながる。低所得層の子供たちがもっと懸命に勉強して、学校でがんばり通せるようにするには、どういった動機づけが効果的なのか？　あるいはもう少し掘り下げて、そもそも誰かに何かをさせるには、どういう動機づけをすればよいのか？　経済学者がこの問題を考えた場合、報酬を支払うか、何かほかにインセンティブとなりそうなものを差しだすことで動機づけをすればよいという、かなりストレートな結論に至ることが多い。しかしこの問題に取り組んでいるのは何も経済学者だけではない。心理学者もモチベーションに関する問題については日々熟考しており、経済学者の説明とはまたべつの答えにたどりつく場合がある。

フライヤーがおこなったようなインセンティブに関する研究を複雑にする、動かしがたい事実がある。困難な環境で育った子供たちには、よい教育を受けたいと思う重要なインセンティブがすでにあるはずなのだ。高校を卒業した大人は、そうでない大人よりはるかによい人生を送れる。平均的に見て収入が多いだけでなく、家庭も安定し、より健康で、逮捕されたり刑務所に入ったりする確率は少ない。大学を卒業した大人とそうでない大人にもおなじことがいえる。若者たちは当然これを知っている。それなのに、進路の分かれめに影響を与える重要な決断をするべきときが来ると、逆境に育った若者はたいてい目に余るほど自身の利益に反する選択をして、ゴールをより遠く、到達のむずかしいものにしてしまう。

心理学の分野には、こうした明らかな矛盾を説明する重要な研究がある。ロチェスター大学の二人の心理学者、エドワード・デシとリチャード・ライアンのライフワーク「自己決定理論」だ。二人が研究をはじめた一九七〇年代は、心理学の歴史のなかでは行動主義者が優勢な時代だった。つまり、人間の行動はひとえに生物学的な必要を満たすためになされるため、人はストレートな褒美と罰に敏感に反応する、という考え方が主流だった。[1]

これに反して、デシとライアンはこう論じた。私たちは多くの場合、自分の行動が生む表面的な結果ではなく、その行動によってもたらされる内面的な楽しみや意義を動機として決断を下す。二人はこの現象を「内発的動機づけ」と名づけた。[2] さらに二人は、人が求める三つの鍵を見きわめた——「有能感」「自律性」「関係性（人とのつながり）」である。[3] そしてこの三つが満たされるときにかぎり、人は内発的動機づけを維持できると述べた。[4]

デシとライアンは数十年をかけて複数の実験をおこない、外的な報酬——フライヤーの研究で中心となった物質的なインセンティブ——は、長期にわたるプロジェクトへの動機づけとしては効果がなく、多くの場合、むしろ逆効果でさえあることを示した。デシが昔おこなった有名な研究の話は、ダニエル・ピンクの著書『モチベーション3・0』（講談社）にも出てくる。当時カーネギーメロン大学大学院で心理学を研究していたデシは、二つの学生グループに対し、キューブ型のパズルを図のとおりに組み立てるようにと頼んだ。一日めは、どちらのグループも報酬をもらわなかった。しかし二日めになると、デシは一方のグループに対して、パズルを一つ完成させるごとに一ドル支払うことを申し出た。三日め、前日支払いを受けたグループに対し、デシはもう資金が底をついたからと説明し、きょうはパズルを完成させても報酬は出ないと告げた。

三日を通じていちども報酬を受けなかったグループは、だんだんパズルに夢中になった。ただ単純に面白い、楽しいと感じられたからだろう。日を追うごとに、パズルを完成させるまでの時間を短縮させていった。デシがマジックミラーを通してひそかに観察していると、学生たちは休憩時間もパズルをつづけ、時間を計ったり観察の対象になったりしていない（と学生たちは思っている）あいだもパズルをうまく完成させようとしていた。

けれども二日めに報酬を受けたのち、三日めには受けなかったグループは、異なる行動を取った。二日めには、予想どおり、学生たちは小遣いを稼ごうとしてより懸命に、より早くパズルを完成させた。けれども三日め、デシがちょっと席を外すと、彼らはパズルに見向きもしなくなった。しかも支払いを受けた日より取り組みに熱意がなくなっただけでなく、一日め――支払いのことなど考えず、本能的にパズルを楽しんでいただけの初日――と比べても意欲が下がっていた。いい換えれば、わくわくするパズル遊びが報酬の導入によって「仕事」になってしまったのだ。仕事となれば、支払いも受けられないのにやりたがる人はいない。

デシとライアンやほかの研究者たちは、この発見をもっと年齢の低い子供の調査でも確認した。スタンフォード大学の心理学者、マーク・レッパーがおこなった実験では、お絵かきの好きな幼稚園児のグループに、その日は絵を描いたらお帰りのまえにご褒美――青いリボンと賞状――をあげると告げた。[6]二週間後、園児たちは明らかに絵を描くことへの興味を失っており、自由時間にお絵かきをすることもご褒美をあげた日の前より減っていた。[7]もともと熱心だった四歳児たちにとって、お絵かきが仕事に、つまり青いリボンがもらえなければする価値のない物事になってしまったのだ。

デシとライアンは教育に関する著述を、人間は生まれながらの学習者で、子供たちは生まれつき創造力と好奇心を持っており、「学習と発達を促進する行動を取るよう、内発的動機づけがなされている」という前提から出発した。[8]しかしながら、このアイデアは「退屈さ」によって複雑になる。何かを学ぼうと思ったら、それが絵を描くことであれ、プログラミングであれ、八年生の代数であれ、たくさんの反復練習を要する。反復練習はえてしてかなり退屈なものだ。デシとライアンは、教師が生徒に日々求めるタスクの大部分は、それ自体が楽しかったり満足できるものだったりするわけではない、と認めている。掛け算の九九を暗記することに強い内発的動機を持っている子供は稀なのだ。[9]

この瞬間、つまり内なる満足のためでなく、何かべつの結果のために行動しなければならなくなった瞬間に、「外発的動機づけ」が重要になる。デシとライアンによれば、こうした外発的動機づけを自分のうちに取りこむようにうまく仕向けられた子供は、モチベーションを徐々に強化していけるという。[10] ここで心理学者は、人が求める三つの項目に立ち戻る。「自律性」「有能感」「関係性」である。この三つを促進する環境を教師がつくりだせれば、生徒のモチベーションはぐっと上がるというわけだ。

では、どうやったらそういう環境をつくりだせるのか？　デシとライアンの説明によれば、生徒たちが教室で「自律性」を実感するのは、教師が「生徒に自分で選んで、自分の意志でやっているのだという実感を最大限に持たせ」、管理、強制されていると感じさせないときである。[11] また、生徒が「有能感」を持つのは、やり遂げることはできるが簡単すぎるわけではないタスク――生徒たちの現在の能力をほんの少し超える課題――を教師が与えるときである。さらに、生徒が「関係性」を感じるのは、教師に好感を持たれ、価値を認められ、尊重されていると感じるときである。デシとライアンによれば、この三つの感覚には、机いっぱいの金の星や青いリボンよりも、はるかに動機づけの効果があるという。生徒のモチベーションを高めたいと思うなら、教室の環境や生徒との関係を調整し、この三つの感覚を強化する必要がある。「生徒が自律性、有能感、関係性を実感できる教室環境は、内発的動機づけを育てるだけでなく、あまり面白くない学習作業も進んでやる気にさせるものだ」デシとライアンはそう結論づける。[12]

こうしたモチベーションの力学は、低所得層の生徒たち、とりわけ幼いころに受けた有害なストレスの影響が見られる生徒たちの学校生活では、さらに大きな役割を果たす。子供たちにトラブルがあれば、勉強に関することであれ、行動に関することであれ、多くの学校は締めつけをきつくする。そうやってただでさえ脆弱な生徒の「自律性」をさらに弱めてしまう。また、落ちこぼれることで（低所得層の多くの子供がそうだが）生徒の「有能感」は徐々に低下していく。さらに、教師との関係に警戒が必要だったり、争いがあったりすると、強力なモチベーションになるはずの「関係性」も経験できなくなる。そしてひとたび生徒の心が離れ、やる気が失われると、どんなに物質的なインセンティブや、反対に罰を与えても、動機づけにはなんの効果もない。少なくとも、深く響く効果、長期にわたる効果は得られない。

しかし貧困層の子供を大勢抱える学校は、自己決定理論よりも行動主義を原則として運営されていることが多い。たいていの校長は、標準テストの結果が上がっていることを示さなければならないというプレッシャーを感じているし、教員は、規則に従わず、成績も悪い生徒が「自律性」をうまく発揮できるとはまったく思っていない。結果として、生徒たちは適切な外発的動機づけを切実に求めているにもかかわらず、教室の環境は正反対の方向に働いてしまう。外側からさらに締めつけ、子供たちの「有能感」を減少させ、教師との関係を悪化させるのだ。[13]

16 評価

デシとライアンの研究を見れば、教育関係者が注目しはじめている自制心やグリットのような非認知能力が、モチベーションと強く結びついていることは明らかだ。将来のチャンスを最も大きなものにする行動を子供たちに取らせたいなら――課題を粘り強くこなし、衝動をコントロールし、目先の楽しみよりもっと先の満足を選ばせたいなら――彼らにその困難な道を進ませるために、どんな動機づけをすればいいか考える必要がある。

そこで思いだしたいのが本書の冒頭で示した問いだ。能力の新しいカテゴリーについて、私たちがいままでに考えてきたことはすべてまちがっていたのではないか。非認知能力を、教えたり、測定したり、ありきたりなやり方で鍛えたりできる学習スキルとおなじと考えても仕方がないのではないか。それよりも、非認知能力は心の状態のようなもの――環境に左右される複雑な土台――と考えたほうがよいのではないか。よい学習習慣を身につけるために子供たちが何より必要としているのは、自分が自立した存在であり成長していると感じられる環境、なおかつ帰属意識の持てる環境で、できるだけ多くの時間を過ごすことではないか。デシとライアンの言葉を借りるなら、「自律性」「有能感」「関係性」を経験できる環境だ。

そこで少しのあいだ、非認知能力について、その能力をどう定義し、どう測定するのか（そもそも定義や測定ができるのかどうか）という議論に戻りたい。以前は目を向けられることのなかった非認知能力が――『成功する子 失敗する子』などの著書のなかで――注目を浴びるようになったのは、もともと現在の教育制度が頼っているテストの得点が、高校や大学の卒業といった長い目で見たときの教育成果を問題にする場合には明らかに不十分な指標だとわかったからだった。もちろん、標準テストの得点も無関係ではない。高い得点を取れる生徒は、平均的に見て、得点の低い生徒よりも高校や大学でうまくやっていける。だが、こうした得点は、たとえば成績評定平均値（GPA）などのほかの指標と比べると、成功を予測する際にそれほどあてにならない。研究者らの発見によれば、高校生のGPAは、大学進学のための共通テストであるSATやACTなどの得点よりも、その生徒が大学を卒業できるかどうかを予測する際の指標になる。[1] これは、GPAによって捉えられるのが認知能力の高さや知識の量だけではないからだ。GPAには非認知的な行動、ものの見方、気質も反映される。つまり、生徒が自分の持つ認知スキルを学校生活のなかで有効に活用するための力である。

こうした重要な新しいスキルを測定する、信頼に足る「ものさし」を求める人々が不満に思うのは、GPAがいわばなまくらな刃物であり、その生徒の成功の具体的な要因を切り離してはっきりこれと示すことができない点だ。教育政策を取り巻く現在の環境では、実験によって検証可能なデータに基づく説明が非常に高く評価される。こうした現状では、あるスキルをはっきり提示し測定することができなければ、人々に真剣に受け止めてもらうことはむずかしい。

だから教育者も、研究者も、政策立案者も、読み書き計算のスキルとおなじように、非認知能力を分析、分類しようと努める。SATの数学のセクションがその生徒の高校数学の能力を測るのに便利なのは誰もが認めるところだ（もちろん多少の異論はあるけれど）。しかしその生徒のグリットや誠実さや楽観主義の度合いを測るのに、同様に広く受けいれられる「ものさし」はない。そういう「ものさし」をつくろうとする試みがないわけではない。教師や学校に生徒たちの「非認知能力の成績」の提示を求める試みもある。

こうした試みを推進する動きは大きくなっている。二〇一三年、アメリカ合衆国教育省は、カリフォルニア教育改革オフィス（CORE）——カリフォルニア州の八つの学区からなる合同システム——に対し、落ちこぼれゼロ（NCLB）法が求めてきた成績の基準を放棄することを認めた。[2]二〇一六年春、この八つの地域にある学校は新しい評価システムを導入した。この評価システムには生徒本人の自己評価に基づく心の成長、自己効力感、自己管理、社会意識の測定結果が含まれる。[3]同時に、国じゅうの役人が新しい「全生徒成功（ESSA）法」（二〇一五年一二月に施行された、NCLB法に代わる法律）にどう対応するべきか検討しはじめ、学業成績でないものを少なくとも一つ含む独自の成績表をつくるよう各州に求めた。COREは一つのモデルと見なされている。[4]

学校管理者の当面の難題は、COREが使用する生徒の自己評価が主観的である点だ。将来、もしある州が教師や校長に生徒の非認知能力の発達について責任を求めることにしたら――もし、たとえば教師や校長の次年度の給与が、生徒の社会意識の増加によって一部なりとも決められるとしたら――スコアを操作する誘惑も生じるかもしれない。二〇一五年、非認知能力の分野における代表的な二人の研究者、テキサス大学オースティン校のデイヴィッド・イェーガーと、ペンシルベニア大学のアンジェラ・ダックワースは、非認知能力を評価するさまざまな道具についての論文を発表した[5]（ダックワースはグリットを自己評価する「ものさし」をつくりだした張本人でもあり、このものさしは現在最も広く使われている）。二人の結論によれば、ある学校、もしくはあるクラスの生徒をべつの学校やクラスの生徒と比べる場合、とくにそれが成績責任（アカウンタビリティ）を測る道具として使われるケース――つまり、それによって学校への予算配分や教員の給与が左右されるケース――においては、自己評価ではうまく比較できない。[6]

しかし生徒の非認知能力を評価する試みには一考の価値がある。そしてそれは、生徒たちがもっと生産的な行動を取れるようにするにはどうやって動機づけをしたらいいのかというさらに大きな疑問を解く、新たな手がかりになるかもしれない。ノースウエスタン大学の若き経済学者、キラボ・ジャクソンは、数年前、教師の有効性を測定する方法を研究しようと思いたった。[7] ジャクソンは、ノースカロライナ州で二〇〇五年から二〇一一年のあいだのすべての九年生——総数四六万四五〇二人——を追跡した詳細なデータベースを見つけた。データは生徒たちの発達を、九年生のあいだだけでなく、高校卒業後まで追ったものだった。ジャクソンは各生徒の全州標準テストの得点にアクセスし、それをおおまかな認知能力の指標とした。次いで、一つ新しいことをした。現存の管理資料から四つの数字を使って、それを生徒の非認知能力を示す代替尺度にしたのである。四つの数字とは出席日数、停学回数、留年の有無、ＧＰＡだ。[8] この新しい指標は、大まかにではあるが、生徒がどれくらい積極的に学校に関与しているかを示している。きちんと出席しているかどうか。行動に問題があるかどうか。教室でどの程度真面目に勉強しているか。

意外にも、このシンプルな代替尺度がテストの得点よりもよい指標になることがわかった。その生徒が大学へ行けるかどうか、大人になったときの収入はどれくらいか、将来逮捕されるようなことがあるかどうかを、より的確に予測することができた。この代替尺度は、教師の有効性の分析にもつながった。[9] ジャクソンはノースカロライナ州の九年生の英語と代数の教師全員に、経済学の用語でいう「付加価値」の評価をした。まず、ある教師のクラスの生徒でいることが、その生徒の標準テストの得点にどの程度影響するかを計算した。これはごく一般的な「付加価値」評価の方法だ。国内の多くの州の教員がこれと似た尺度で評価され、報奨を与えられたり解雇されたりしている。[10] しかしジャクソンは、そこからもう一歩先へ進めた。教師が生徒の非認知能力の代替尺度——出席日数、停学回数、留年の有無、ＧＰＡ——に与える影響を割りだしたのである。

生徒の標準テストの得点を、毎年確実に上げることのできる教師がいる。こうした教師は、現行のすべての評価システムにおいて最も高く評価され、最も高い報酬を受けている。しかしジャクソンは、生徒の非認知能力の代替尺度を確実に上げることのできる教師が一定数いることを発見した。こうした教師が担任になると、出席率も、停学処分を避けられる可能性も、すんなり進級できる可能性も高くなるのだ。ＧＰＡも上がる。その特定の教師が担任をしているあいだだけでなく、クラスが変わってからも。[11]

ジャクソンの発見によれば、この二つのタイプの教師は必ずしも重ならない。どの学校にも、生徒の認知スキルを伸ばすことが得意な教師がいて、それとはべつに、非認知能力を伸ばすことに長けた教師がいるようだった。しかし後者は、生徒を伸ばしたことに対する報奨を与えられていなかった。それどころか、後者の教師たちが成功を収めていることに誰一人——キラボ・ジャクソン以外は——気がついてさえいないようだった。だが、後者の教師たちは、ジャクソンの計算によれば、生徒のテストの得点を上げることで名高い前者の教師たちよりも高い確率で生徒を大学へ送りこみ、生徒の将来の収入額を引き上げていた。

ジャクソンの研究からはっきりわかるのは、生徒の成功に大きく貢献していながら、現行の成績責任の尺度では評価されない教師がいるということだ。このような尺度は、教師の行動を歪めてしまうかもしれない。そしてそれは生徒の利益にならない。もしあなたが生徒の非認知能力を伸ばすことを得意とする教師だった場合、テストの得点を伸ばすことを得意とするべつの教師がボーナスをすべてさらっていくのを見たら、自分の教え方を変えようとするかもしれない。いまのあなたのやり方が生徒に大きな利益を与えているかもしれないのに。

ジャクソンの研究のなかには、こうした教育行政へのヒントのさらに奥に、非認知能力を評価するという目的ともっと関係の深い第二のヒントがかすかに見える。つまり、非認知能力を測定するために現在多くの研究者たちが注目しているやり方よりさらに創造的で、さらに役立つはずの方法があるということだ。グリットや自制心や自己効力感などを評価する新しい完璧な「ものさし」を苦労して探さなくても、非認知能力が働いた結果として現れるポジティブな行動を測定すればいいのだ。

この結論はより深いヒントへとつながる。グリットや自制心や粘り強さなどの気質にどんなラベルをつけるかは、じつはたいした問題ではないし、それをいうならこれらを「性格の強み」と定義するか、「非認知能力」と定義するか、あるいはほかの何かであると定義するかも、やはり大きな問題ではない。とりあえず、生徒たちが毎週数時間をあるタイプの教師のそばで過ごすことで自分たちの行動の何かを変えた、これがわかるだけで充分だ。そういう教師が教室でつくりだす環境が、生徒たちのよりよい決断を助け、その決断が生徒たちの人生に大きな意味を持つプラスの変化を与えたのだ。

学業について語るとき、スキルという言葉はよく使われるが、よくよく考えてみると、私たちはたいていこの言葉を発達の一つのステップとして捉えている。教師が新しい非認知スキルを教える。生徒が新しい非認知スキルを学ぶ。こうして習得された新たなスキルが、異なる行動へとつながる。もしこれが前提なら、ここでいうスキルとは具体的にはなんなのか。どう定義されるのか。どうしたら正確に測定できるのか。どうやって教えたらいいのか。ジャクソンの研究を見るに、生徒たちは少なくとも従来どおりの意味合いでスキルを身につけているわけではないようだ。

そこで、いままでとは異なる前提で考えてみたい。いくらか曖昧であることは認めざるをえないが、効果的な教室で何が起こっているかを少し詳しく書いてみよう。教師がある雰囲気をつくりだす。生徒たちはその雰囲気に反応して、それまでとは異なる行動をする。その新しい行動が成功につながる。この場合、生徒たちは新しいスキルを身につけたのだろうか？　だからちがう行動が取れるようになったのだろうか？　そうかもしれない。あるいは、私たちが「スキル」と呼んでいるものは、ほんとうは新しいものの見方なのかもしれない。新しい、強力な行動を取るための体力だったり、信念だったり、心のありようだったりするのかもしれない。

先述の子育ての研究との類似がいくつか容易に見てとれる。ＡＢＣやＦＩＮＤのようなプログラムにおける親のコーチは、親たちが子供をあやすときにどの童謡を歌おうと、どんなふうにいないいないばあ遊びをしようと、そこにはこだわらない。味つけはどんなふうでもかまわない。大事なのは温かい、正面から向き合ったやりとりだとわかっているからだ。そうしたアプローチはどんなふうに実行されようと、子供たちに深い、何よりも大事なメッセージを伝える。帰属意識、安全、安定についてのメッセージ、世界のなかでの自分の居場所についてのメッセージだ。こうした認識は――曖昧で感傷的にさえ見えるかもしれないが――乳幼児の脳のなかではシナプスの形成、樹状突起の剪定（せんてい）、ＤＮＡのメチル化などの神経化学反応として、はっきりとしたかたちを取る。これらすべてが、直接的であれ間接的であれ、この先の学校での成功に貢献する。

教室で起こる連鎖反応もじつはこれと似ているかもしれない。教師は生徒たちに深いメッセージを伝える。たいていはそれとなく、あるいは無意識に訴えかけるように、帰属意識やつながり、能力、チャンスについてのメッセージを伝える。こうしたメッセージは、一〇歳児の脳には一〇カ月の乳児の脳に起こるほどの影響は与えないかもしれないが、それでも生徒の心理に、行動に、深く響く。子供たちが学校への帰属意識を持てれば――自分たちの成功を信じてくれる大人、思いやりと敬意をこめて関心を向けてくれる大人から正しいメッセージを受けとれば――彼らは教室に欠かさず来るようになり、むずかしい作業にも粘り強く取り組み、学校生活のなかで数えきれないほど起こる小さな挫折や不満からすばやく立ち直れるようになる。幼少期の子育てにおける親の敏感な反応によって、子供の頭のなかに知的な物事を習得するための素地がつくりだされたのとおなじように、学校では教師からの正しいメッセージが、生徒の頭のなかにさらに進んだ、手ごわい学業に取り組むための素地をつくりだすのだ。

17 メッセージ

では、そのメッセージとはどういったものか？　教師はどのように生徒にそれを伝えるのか？　これは現在の教育界でとくによく議論される問題で、このテーマの研究の第一人者が、シカゴ学校研究協会のカミーユ・ファリントンだ。都心の高校に勤めていた元教師で、一五年の勤務ののち、イリノイ大学シカゴ校で都市部の教育政策を研究して博士号を取得した。ほかの多くの高校教師とおなじく、ファリントンも一部の生徒の行動や選択に戸惑いを覚えた。生徒たちはなぜ、勉強に打ちこんで教育の恩恵を受けようというモチベーションを維持できないのだろう？　どうして彼らのモチベーションには予測のつかない浮き沈みがあるのだろうか？

二〇〇六年に博士課程での研究をはじめると、ファリントンはモチベーションに関する心理学の最新の研究にどっぷり浸（ひた）った。デシとライアンの報酬とインセンティブに関する論文を読んだ。キャロル・ドゥエックのモチベーションに関する論文も読んだ。ドゥエックはスタンフォード大学の心理学者で、自分の知的能力についてどんなふうにいわれるかによって、生徒のモチベーションが上がったり下がったりすることを発見した人物だ。ファリントンはダフナ・オイズマンの論文も読んだ。オイズマンは南カリフォルニア大学で多くの専門分野にわたる研究をしている学者で、生徒自身が持つ学生としてのアイデンティティによって、生徒のモチベーションのレベルが大きく左右されることを発見した。[1] ファリントンはこうした心理学の研究を貪欲に吸収しながら、関連する社会学の文献も読んだ。制度的な構造がいかに個人の行動に影響するか、とりわけ教育制度の構造――学校の資金調達の仕組み、教師の雇用契約、人種による分離のパターンなど――が生徒たちを成功へ導くものか、失敗させるものかを知ろうとした。

こうした研究の積み重ねと最貧困地区での教師としての経験により、ファリントンはこれまでとちがった考え方をすることができた。「最初から、環境について考える方向に傾いていたと思います」と彼女はいう。ファリントンはどの学校にもある、成功と失敗にまつわる「語られ方（ナラティブ）」にとくに興味を示した。あやふやなものであれ、はっきりしたものであれ、生徒は失敗に直面したときにメッセージを受けとる。ファリントンによれば、生徒たちが自分のポテンシャルについてのメッセージに――肯定的なものであれ、否定的なものであれ――最も敏感になるのは、失敗の瞬間であるという。失敗が自分の能力への最後の審判だと思えば、その生徒はあきらめてしまい、学校から距離を置くだろう。だが、失敗は一時的なつまずきに過ぎず、学んだり改善したりするための貴重なチャンスであるというメッセージを受けとれば、挫折はその生徒をより勉強に打ちこませる推進力になる。ファリントンによれば、失敗についてのこうしたナラティブは、とりわけ低所得層の生徒たち、学業の場で失敗することに大きな不安のある生徒たちにより大きな影響を与える。

二〇一一年、ファリントンと協会のチームは、非認知能力、および非認知能力が学業の成功のために果たす役割についての文献を総合的に再検討しはじめた。結果は「学習者になることを教える」と題されたレポートとして二〇一二年六月に発表された。ここでは初めて非認知スキル（レポート内の言葉では「非認知要素（ファクター）」）を、子供たちが習得する（あるいは習得に失敗する）可能性のある個別の技能ではなく、子供たちが学習をしている現場の状況に大きく左右される習慣や態度、ものの見方であると説明している。[2]

当時、グリットとは何か、それはスキルとしてどう測定したらいいのか、どの生徒にそれがあるのか、どうやったらそれを教えられるのか、といったことがおもに論じられていたなかで、これは新しいアプローチだった。ファリントンとチームの研究者らはこう書く。「生徒のグリットや粘り強さに直接働きかけることが、成績向上の効果的な手段になるというエビデンスはほとんどない。ほかの生徒よりも粘り強く作業をしたり、より強い自制を示したりする生徒ももちろんいるが、学校や教室の状況がポジティブなものの見方や効果的な学習を助長すれば、すべての生徒が粘り強さを見せるようになる」[3]

では、粘り強さを伸ばす学校や教室の状況とはどういうものだろう？　この答えを出そうとしてファリントンが気づいたのは、学習のプロセスに立ち戻り、分解して考える必要があるということだった。そして、すでにある研究から、生徒の成功に必要なものをいくつか引きだし、そこからフレームワークをつくろうとした。

ファリントンは、生徒たちが学業の成功として広く認めている事柄からはじめた。よい成績を取る、高校を卒業する、大学の学位を取る。こうした成果に直接結びつくものを「学業のための行動」であるとした。宿題をやったり、予習をしたり、クラスでの議論に参加したり、そもそもいちばん根本的なことをいえば、登校することもそうだ。[4] ここまでは非常に単純だ。きちんと出席し、宿題をやって授業に参加する生徒がうまくやれるというのは、多くの教師が同意するところだろう。では、何がこうしたポジティブな「学業のための行動」を生むのか？

ファリントンの答えは「学業のための粘り強さ」だ。生産的な「学業のための行動」を長いあいだ維持できる性質である。ファリントンの主張によれば、「学業のための粘り強さ」を持った生徒が他の生徒とちがうのは、失敗からすぐ立ち直る力を持っている点だ。何回かテストで失敗しても、教室で懸命に勉強することをやめない。複雑な課題に悩んだり、混乱したりしたときも、ただあきらめるより、問題を解くための新しい方法を探す。ファリントンのいう「学業のための粘り強さ」には、グリットや自制心や、楽しみを先送りにする力のような非認知能力が含まれる。しかしそうした性格上の特質とちがって、生徒の「学業のための粘り強さ」は状況に大きく左右される、とファリントンは書く。

一〇年生のときに学校でがんばってやり通した生徒が、一一年生ではやり通せないかもしれない。数学の授業はがんばれても、歴史の授業は駄目かもしれない。火曜日にはがんばれても、水曜日は駄目かもしれない。[5]

ファリントンが実施した調査には、特定の介入が生徒のもともとのグリットのレベルを変えるというエビデンスは見られなかった。だが、生徒の学業への粘りが学校や教室の状況の変化に大きく左右されるというエビデンスはたくさんあった。ファリントンのレポートにはこう書かれている。「生徒をグリットを持った人間につくりかえようとする（つまり、人生のすべての側面に対し、いついかなる状況でもグリットを発揮できるようにする）ことにあまり益はないが、生徒が環境の影響を受けて粘り強さを示すようになることはある。勉強をやり通したり、大きなプロジェクトを完遂したり、勉強がむずかしくなったときに身を入れて取り組んだり。こうしたことはある特定の教室の状況や心理状態によって起こる反応だ[6]」

これは重要な区別である。もしあなたが教師だったら、生徒たちをグリットのある人間にすること——グリットと呼ばれるきわめて重要な資質を発達させること——はできないかもしれないが、グリットがあるようなふるまいをさせる、グリットがあればこうするだろうという行動を取らせることならできる。ファリントンの主張によれば、まさにそれが大事なのだ。その粘り強い行動が、教師が望む（そして生徒と、社会一般が望む）学業の成果を生む助けになるのである。

では、生徒に粘り強い行動をさせるにはどうしたらいいのか？　ファリントンが調査から引きだした結論によれば、「学業のための粘り強さ」の背後にあるカギは、「学業のためのマインドセット（心のありよう）」、つまり子供たちそれぞれの姿勢や自己認識である。ファリントンは生徒のマインドセットに関する大量の研究から、カギとなる四つの信念を抽出した。生徒たちの教室でのがんばりに最も大きく貢献する信念である。

①　私はこの学校に所属している。
②　私の能力は努力によって伸びる。
③　私はこれを成功させることができる。
④　この勉強は私にとって価値がある。

生徒たちが授業中にこの信念を持っていられれば、そこで出くわす課題や失敗を乗りこえられる。この信念がなければ、最初の困難がちらりと見えたところであきらめてしまうかもしれない。[7]

当然ながら問題は、逆境に育った生徒たちがファリントンの挙げた四つの項目をどれも信じられずにいることだ。一つには、幼少期にはじまった神経生物学的な逆境の影響がある。有害なストレスにさらされたことで過敏な闘争・逃走反応が生じている。暴力的な地域や家庭にいるときには非常に役立つが、七年生の歴史の授業中にはあまり役に立たない。闘争・逃走の本能は、「私はここに所属している」という信念を強化することはなく、その正反対の警告――「ここはおまえの居場所ではない。敵の領域だ。この学校にいる全員がおまえを捕まえようとしている」――を車のクラクション並みの大音量で伝える。これに加え、逆境のなかで育った子供たちはたいていミドル・スクールやハイ・スクールに入るころには勉強が大幅に遅れており、十中八九、学校側と対立してきた前歴もある。こうした生徒は多くの学校で、補習クラスに入れられるか、くり返し停学処分を受けるか、あるいはその両方にはまりこむ。これでは「私はここに所属している」とか「私はこれを成功させることができる」などと思うのは無理である。

見てわかるとおり、ファリントンのいう学業のための四つのマインドセットは、デシとライアンの三つの内発的動機づけ――「自律性」「有能感」「関係性」――と呼応している。実際には、ファリントンのリストと、デシとライアンのリストをさらに煮詰めて、生徒の成功にきわめて重要な二大メッセージを取りだすことができるように思う。一つは「帰属意識」に関するもの。自分の学校、あるいはクラスの人々が自分の存在を望んでくれる、自分はこの学習環境のなかで歓迎され価値を認められている、という実感である。これは何よりも日々学校で経験する人間関係に左右される。

二大メッセージの一つめが人に関するものなら、もう一つは「勉強」に関するものだ。生徒たちの心理は、学校で毎日やる作業にも大きく影響される。むずかしいだろうか？やる意味はあるだろうか？　少しがんばれば理解できる範囲の問題だろうか？　懸命に取り組めば乗りこえられそうな課題が与えられるとき、生徒にはデシとライアンのいう「有能感」と「自律性」を経験するチャンスが生まれる。「簡単ではなかったが、私はこれをやり遂げた」。言葉で肯定されるだけでは得られない実感だ。

ポジティブな心のありように貢献する環境をつくろうとするとき、教育者が頼れる道具箱はふたつある。一つめの道具箱は「人間関係」。生徒にどう接するか、どう話しかけるか、褒美と規律をどうやって与えるか。二つめの箱は「学習指導」だ。何を教えるか、どう教えるか、生徒の習得度をいかに評価するか。この先の章では、学ぶ環境を強化することによって低所得層の生徒たちの成果を改善してきた例をいくつか挙げる。人間関係をターゲットにしたものもある。学習指導に焦点を合わせたものもある。先に論じた幼少期の支援についてもそうだったように、どれも完璧ではない。しかしすべてを考えあわせることで、逆境にある生徒たちが学校で成功するためにはどう支援するのが最善か、おおまかなガイドラインのようなもの、基礎をなす原則のようなものが見えてくるのではないだろうか。

18 マインドセット（心のありよう）

二〇〇〇年代のなかば、デイヴィッド・イェーガーが心理学を研究する院生としてスタンフォード大学に入ったころ、同大学には教育心理学の著名人が何人もいた。「ステレオタイプの脅威」の発見で有名なクロード・スティール。生徒のマインドセットの研究で有名なキャロル・ドゥエック。

「ステレオタイプの脅威」は、一般に自分の属性にとって苦手とされる場所にいる個人は、その属性に関する不安が引き金となって実力が発揮できない場合がある、とする理論だ。たとえば、工学部で学ぶ女性は男性よりも能力が低いと感じ、一流大学に通うアフリカ系の学生はほかの人種の学生より劣っているように感じることがある。

一方、ドゥエックの発見は、生徒は自分の能力に関する暗示的、明示的なメッセージに強く影響される、というものだった。知能とは持って生まれた財産であってほとんど変化しない、という考えを植えつけられた生徒たちは、ドゥエックのいう「凝りかたまった心」を持つようになり、知能の欠如をさらす可能性のあるむずかしい課題からは腰が引けてしまう。反対に、がんばれば知能は伸びるという、「しなやかな心」をつくるメッセージを取りこむと、生徒たちはより大きな課題、より難度の高い問題に取り組むようになる。

スタンフォードに入るまえ、イェーガーはオクラホマ州タルサの低所得地域の学校で英語を教えていた。そのため自分の研究を、教師が生徒たちの人生をよりよいものにするために現場で使えるかたちにしたいという強い思いがあった。現在もテキサス大学オースティン校の教授として、教育心理学の発見を教室に生かす道を切りひらこうとしている。

イェーガーは、幼少期の逆境の神経生物学的な影響に加え、困難な環境で育つことで子供たちの世界の受け止め方は大きく影響される、という前提で研究を進めている。イェーガーの説明によれば、ごく幼い時期に逆境を経験すると、子供たちは挫折したときに自分を責め、他人の行動を敵意や偏見の表れとみなし、自分に何かよいことが起こってもどうせ長つづきしないだろうと思うようになる。ここ何年か、イェーガーはスタンフォード大学の二人の教授、ジェフリー・コーエンとグレゴリー・ウォルトンと共同で、こうしたものの見方をする若者たちへの介入方法を調査している。

いくつかの実験で、コーエン、ウォルトン、イェーガーは、小さな介入にも力があることを示した。年上の生徒が帰属意識を持てずに苦労したことを話す短いビデオを見せたり、「しなやかな心」による脳の発達について書かれた雑誌の記事を読ませたりすることで、低所得層の生徒やアフリカ系アメリカ人の生徒のような「ステレオタイプの脅威」にさらされている子供たちの成績を著しく改善したのである。[1]

実験の根底には、コーエンがイェール大学の助教授だった一九九〇年代後半に開発したテクニックがある。コーエンはこれを「思慮深い介入」と呼んだ。生徒たちの不安――先生は自分を個人としてではなく、あるステレオタイプのグループの一員として判断しているのではないかという不安――を解消するための短く控えめなやりとりだ。[2] 貧困層の生徒と教師の関係は、お互いに不信感を持ったり、敵意さえあったりと、往々にして問題をはらんでいる。この問題は、教師が生徒の取り組みを批判するときにとくに深刻になる。教えるという行為のなかで批判は避けて通れないものだが、不利な状況に置かれてきた生徒にとってはこれが信頼の問題としてのしかかる。この教師が勉強のやり方を批判してくるのは、改善の手助けをしてくれようとしているからなのか、それともこちらに対する敬意がないからなのか？　この教師は味方なのか、敵なのか？　恵まれた環境で育ってきた生徒なら、この疑問に――そもそもこの手の疑問が頭に浮かんだとして――たいていは軽く肩をすくめ、こう思うだけだろう。教師にどう思われようと、気にすることなんかないじゃないか。しかしずっと不利な状況に置かれてきた生徒にとっては、とくに幼少期の逆境によってストレス反応システムの発達が不充分な子供たちの場合には、この疑問が差し迫った、きわめて重要なものに感じられ、学校生活に多大な影響を及ぼす。

コーエンとその同僚、ジュリオ・ガルシアがおこなった二〇〇六年の画期的な実験では、ニューイングランド郊外のミドル・スクールで、こうした不安を解消するために考えだされた「思慮深い介入」が、成績の悪い七年生のグループを対象に導入された。[3] 生徒たちは、自分にとってのヒーローについて作文を書くようにいわれた。作文は担任によって添削され、普段どおり、余白に疑問点や提案が書きこまれた。

その後、コーエンとガルシアは生徒を無作為に対照群と処置群に分けた。そして添削済みのそれぞれの生徒の作文に、教師の手書きの付箋紙をつけた。対照群の付箋紙にはこう書いてあった。「作文に対するフィードバックとして、コメントを書きこみました」ごくあたりまえのつまらない説明だ。一方、処置群の付箋紙はもう少し面白い。こちらには、高い期待を寄せていること、また、生徒がきっとその期待に応えられると確信していることを示すメッセージが書かれていた。これは、コーエンが発見したところによれば、属性に不安のある生徒にとって最も効果のある（あるいは「思慮深い」）介入方法だ。表現そのものはいたってシンプルだった。「作文にコメントを書きこんだのは、きみに大いに期待しているから、そしてきみがそれに応えられると思ったからです[4]」

生徒たちは、添削されて付箋紙の貼られた作文を受けとり、成績をあげるためにコメントに応じて作文を書きなおすかどうか選ぶ権利を与えられた。クラスのなかで、白人の生徒たち——人種のステレオタイプによって教師から不利な判断をされる心配がない生徒たち——のあいだでは、「高い期待」の付箋を受けとって書き直した生徒はわずかに増えたものの、効果はごく小さかった。しかしアフリカ系の生徒たちのあいだでは、処置群と対照群のあいだに大きな差が現れた。ただの「フィードバック」の付箋を貼られたグループでは、書きなおした生徒は一七パーセントだけだったが、「高い期待」の付箋を貼られたグループでは七二パーセントにのぼった。[5]二回めの類似の実験では、生徒全員が再提出を求められ、「高い期待」の付箋を受けとったアフリカ系の生徒が書きなおして取った点数は、ただの「フィードバック」の付箋を受けとった生徒よりも一五点満点のうち二点以上高かった。[6]いい換えれば、「高い期待」の付箋紙に書かれたメッセージは——思いだしてほしい、たったの一文である——書きなおそうという気持ちを引き出しただけでなく、実際に作文の質も高めたのだ。

　この目覚ましい結果の裏にあるものはなんだろうか？　後にコーエンとともに結果を再検討したイェーガーはこう考える。付箋紙のメッセージは、生徒の頭のなかに鳴り響く闘争・逃走のアラームを決定的なタイミングで切ったのである。生徒が教師の添削を脅威として、自分に対する非難や偏見のしるしとして受けとめ、反応しようとしたまさにその瞬間に、付箋紙のメッセージがべつの見方を与えたのだ。添削は攻撃ではなく、もっとうまく書けるという信頼の表れだと思わせたのである。

図13 先生からのフィードバックは、生徒の積極性や成績に影響する

実験では、課題に対する批評に加えて、2種類のフィードバックのいずれかを、生徒たちにランダムに与えた。その2種類とは、中立的なフィードバック、または、高い期待に応えることができるはずだという生徒に対する先生の確信を示すフィードバックである。

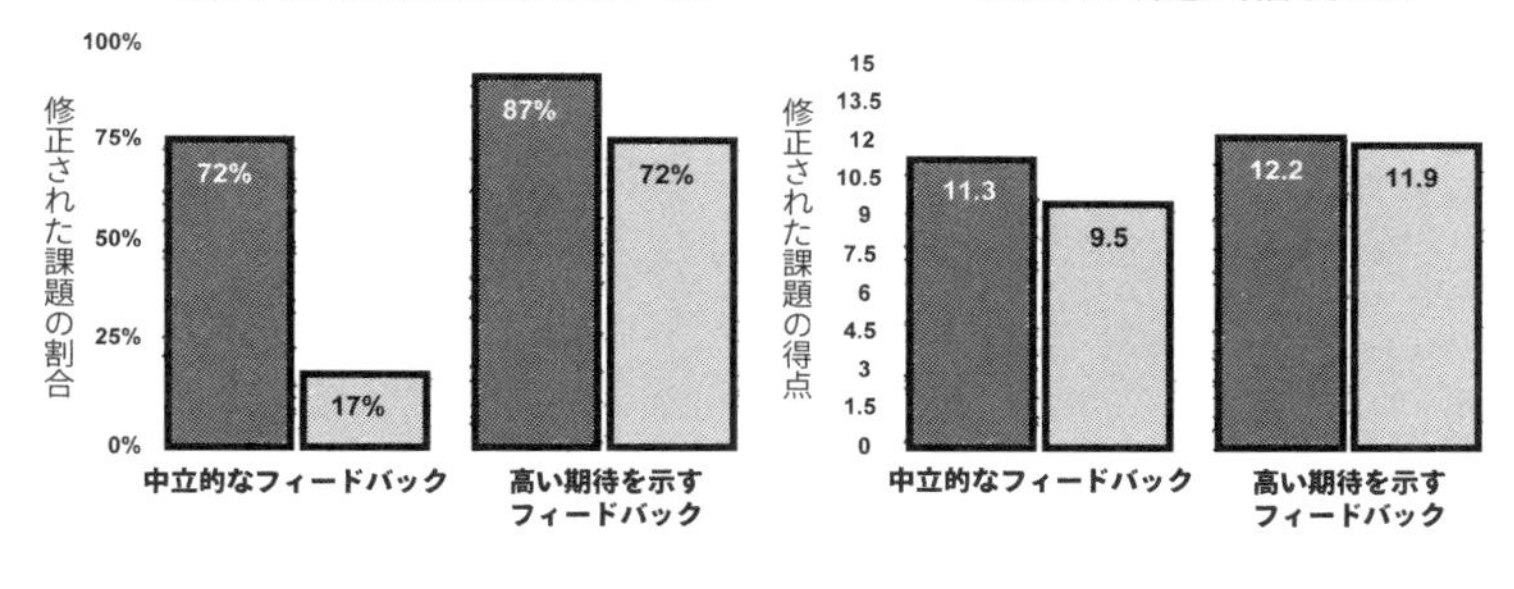

イェーガーは、返却する課題すべてに「高い期待」の付箋紙をべたべた貼りつければいい、といっているわけではない。教師は変化を起こすチャンスをつかまえて、学校を脅威の場所と思っている生徒と接するときにコミュニケーションの方法を変えることで、彼らが感じている脅威をやわらげることができる。これがイェーガーの結論だ。声の調子を変えるといった比較的小さな変化だけで信頼を築ける生徒もいるかもしれない。付箋紙の研究からもそれはうかがえる。しかし、ストレスの高まった瞬間だけでなく、つねに闘争・逃走反応の起きた状態がつづいている生徒の場合には、つながりや帰属意識を持たせるために、もっと徹底した介入が必要になる。

シカゴ大学の経済学者、イェンス・ルドヴィグは、同大学の犯罪研究所のディレクターを務めており、ここ数年〈ビカミング・ア・マン（ＢＡＭ）〉と呼ばれるカウンセリング・プログラムの研究をしている。このプログラムは、シカゴの四九の学校――おもに低所得地域の高校――で実施されている。ＢＡＭではグループ討論やロール・プレイを用いて、生徒が怒りを制御する方法を身につけることを目指す。参加者は全員が一〇代の少年で、とくに中退の可能性が高いか、刑事事件に巻きこまれる危険性が高いという理由で選ばれ

図14　「ビカミング・ア・マン（BAM）」プログラムは、暴力犯罪による逮捕を減らし、修業年限内の卒業を増やす

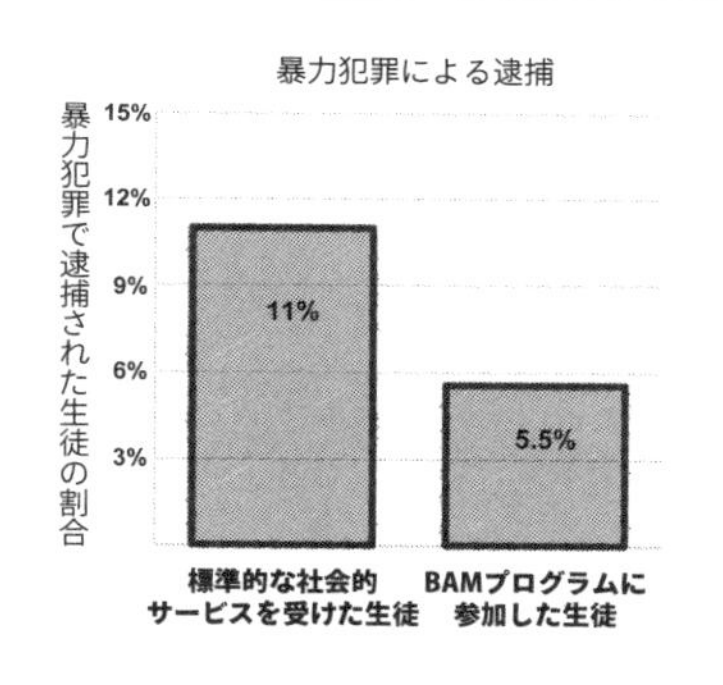

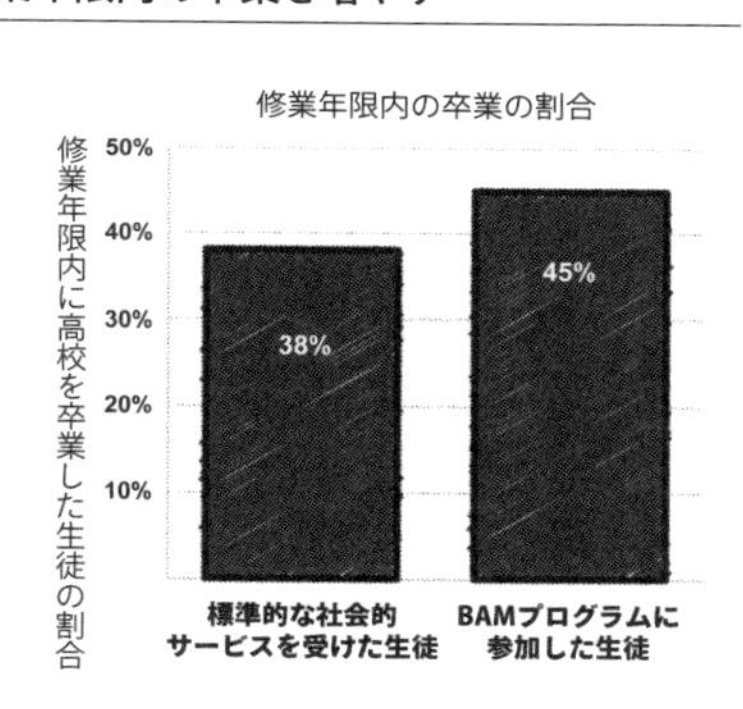

た者たちだ。ルドヴィグは何回かランダム化比較試験をおこなってＢＡＭを評価している。そして、このプログラムのおかげで参加者が暴力的な犯罪に巻きこまれる確率が四四パーセント減少し、それと同時に参加者の成績、出席率、卒業の予測値が改善されたことを明らかにした。[1] この成果は、ストレスに満ちた生活を送る子供に欠けている重要な精神機能――衝動のコントロールや、攻撃的な感情を上手に管理する能力――に影響を与えることから生まれているようだ。

昨春、シカゴのウエストタウン地区にある高校〈ロベルト・クレメンテ・コミュニティ・アカデミー〉の教室で、二年生八人とグループ・リーダーのブランドン・ベイリーズがＢＡＭの一環として話し合いをおこなう場に私も同席した。生徒は全員がアフリカ系かラテンアメリカ系で、実にさまざまな外見をしていた。一人は首にギャングのタトゥーを入れていた。べつの一人は前屈みに座り、ぼさぼさのドレッドヘアが顔を覆っていた。ゴス風のヘアスタイルのべつの二人は、こんどの週末にマコーミック・プレイスで開催されるコミックのイベントに行くという話で盛りあがっていた。リーダーのベイリーズは二八歳で、セラピストとしての訓練を受けており、背の低いがっちりした体つきとエネルギッシュな様子がまるでレスラーのようだった。ベイリーズは週に一回おこなわれるこのミーティングのリーダーを二年間務めてきたが、気さくに、それでいて堅実に討論をさばく。

会はメンバーの「チェックイン」ではじまり、まずは各自がその日の肉体、知能、精神、感情の状態を説明する。その後の五〇分間は、ベイリーズのおおまかなガイドに従い、「〝箱〟の外」に出るにはどうしたらいいか、どういう決断が必要かというテーマに沿って話し合いが進んだ。テーマそのものがゆるいおかげで、さまざまな話題が出てきた。イリノイ州を出て大学に行くのはどんな気分かとか、メンバーのひとりであるラシッドの身に起こったこととか。ラシッドは先週末、祖母の家からコンビニエンスストアにチョコレートを買いに向かっていたときに、二人の男に襲われたのだった。グループの若者たちはつねにお互いの目を見て話すわけではなかったが、グループのメンバーやベイリーズに対して抱いている絆や信頼ははっきり見てとれた。

ミーティングのあとに二人で話をすると、ベイリーズはこういっていた。この学校ではいま観察したグループのほかに四つのＢＡＭのグループを見ているが、若者たちの多くが過去・現在両方の重大なトラウマに立ち向かおうとしている、と。ベイリーズはこの後、校長室へ向かった。担当するグループのうちの一人で、自分の体を焼いたり切ったりした——体を傷つけることで心の痛みを感じなくしようとしたという——生徒のカウンセリングをするためだった。私が見学したミーティングは、表向きは形式ばらない話し合いの場のように見えたが、ベイリーズにとってはグループセラピーに近いものだった。ときにはゲシュタルト療法を取りいれ、エンプティ・チェアの手法（参加者の若者が、父親の代わりのからっぽの椅子に向かって話をする）を用いることもあるらしい。彼らの人生にきわめて強い影響を及ぼしている「父親から受けた傷」に対処するのを助けるためだという。

〈ターンアラウンド・フォー・チルドレン〉は、先の章でも触れたとおり、「学習のための積み木」の報告書を作成した非営利団体だが、やはり若者たちが負っている同種の「傷」に取り組もうとしている。だがゲシュタルト療法を使って傷を診断するよりも、おもに不利な条件下にある子供たちが受ける生物学的な影響について、科学的な知見を利用している。ターンアラウンド・フォー・チルドレンは現在、ニューヨーク市の七つの学校と、ニューアークの二つの学校と、ワシントンＤＣの二つの学校で仕事を請け負っている。

ターンアラウンドの研究によれば、最貧困地域の学校の教師が直面する行動管理上の難題の多くは、教室内で生徒の二つのグループが一触即発の状態であることに起因するという。一つは、大きなストレスにさらされてきた（たいていはACEのスコアも高い）、ゆえに怒りっぽく、反抗的かつ破壊的な行動をとる生徒たちの小さなグループだ。ターンアラウンドの概算によると、最貧困地域の学校では、このグループがだいたい一〇パーセントから一五パーセントを占める。[2] もう一つのグループの生徒たちも逆境やストレスを経験してきてはいるが、最初のグループほどではない。自分から問題を起こすことはあまりないが、闘争・逃走のメカニズムは非常に敏感で、ひとたび問題が起これればすぐに引き金が引かれる。

ターンアラウンドは児童精神科医のパメラ・キャンターによって設立され、運営されている。学校での仕事を請け負うときには、だいたい三人か四人の介入チームをつくり、問題行動を起こしそうな生徒の心のニーズに取り組むことからはじめる。現場でカウンセリングや指導をおこなったり、コミュニティ内のほかの場所で個人、あるいは家族単位で受けられるセラピーなどを紹介したりする（生徒が学校にいるあいだに、家族がセラピーを受けるケースもある）。その後、スタッフは教室全体の環境に注意を向け、授業を改善することで生徒の成績をあげられるように教師たちを指導する。ターンアラウンドの仕事のこの部分には、シカゴ学校準備プロジェクトの教員への指導、そしてABCやFINDの親たちへの指導と、深い共通点がある。教師たちは対立をやわらげるための行動管理のテクニックについて訓練を受け、帰属意識の持てる教室、集中できる教室の雰囲気をつくる戦略を教わる。

ターンアラウンドのリーダーたちは、プログラムの効果を示すデータをまだ持っていない。だが、バージニア大学の心理学者、ジョセフ・アレンと、同大学教育学部の学部長ロバート・C・ピアンタによる最近の研究が示すところによれば、教室によりよい環境をつくりだす方法について教師が訓練を受けると、生徒の成績に目に見えて影響が出る。[3] アレンとピアンタは、バージニア州の学校の七八人の高校教師を対象として、ランダム化比較試験をおこなった。処置群の教師たちは、〈マイ・ティーチング・パートナー〉と呼ばれるシステムを使って、当該年度のあいだ指導を受けた。この訓練は教室での教師と生徒のやりとりに焦点を合わせたもので、専門能力開発のワークショップと電話でのセッションを通しておこなわれた。コーチは教師たちに、「ポジティブな感情に満ちた雰囲気」をつくり、「自律性を求める生徒の気持ちを敏感に感じとる姿」を示す戦略を伝えた。

翌年、処置群の教師に教わったクラスの生徒は、バージニア州の評価でほかのクラスの生徒よりもずっとよいスコアをあげた。全州で上位五〇パーセントの位置にいたクラスが、上位四一パーセントの位置まで上がった。[4] この結果は、シカゴ学校準備プロジェクト（CSRP）に登録した四歳児の変化と似たものだった。CSRPの実験同様、バージニアの教師たちも教科指導に関する訓練は受けておらず、生徒に対してポジティブな反応を示す方法だけを教わった。そしてここでも、生徒への接し方が変わるにつれ、教室の雰囲気が改善し、テストの得点も伸びたのだった。

20　学習指導

ターンアラウンド・フォー・チルドレンについて私が最も面白いと思うのは、ＢＡＭとは異なり、人間関係という〝道具箱〟だけでなく学習指導という〝道具箱〟――教室での本題、つまり教えることと学ぶこと――も使っている点だ。二〇一五年の春、私はブロンクスの第四五中学校を訪れた。ターンアラウンドが一年間活動してきた、最貧困地域の公立学校だ。最初の数カ月は、ソーシャルワーカーが差し迫ったニーズのある生徒を特定して心のケアのサービスを受けるよう促し、一方、教室運営のコーチは教師の指導に集中した。コーチは教師に対して、生徒への期待や守ってほしいルールをきちんと伝える方法、規則違反には相応の結果が伴うことを周知させる方法、対立を鎮静化させる方法などを指導した。しかしその後、校内がある程度おちつくと、コーチらは「協同学習」を奨励することに焦点を合わせた。これは学習の過程に生徒の参加を求める教育学のアプローチだ。講義の時間を減らし、ワークシートでの反復作業も減らし、小グループでの活動に時間を使って、問題を解いたり、討論をしたり、長期間かけて何かをつくるプロジェクトに何人かで取り組んだりする。

ターンアラウンドのコーチの話では、第四五中学の多くの教師にとって「協同学習」を受けいれるほうが、新しいクラス運営の戦略を取りいれるよりも難題だったという。学習にあたって自律性を重視するというのは、管理をゆるめる、つまり教室の手綱を引き渡すことでもある。最貧困地域のほかの教員とおなじく、第四五中学の教師たちも、ここほど荒れた学校では支配的で断固とした管理が教室におちつきと秩序を保つ唯一の方法であり、手綱を引き渡すなど混乱を招くだけだと信じていた。ターンアラウンドのコーチらは、何カ月にもわたる研修や、教室の観察、一対一の対話などを通して教員を説得した。自律性を経験させ、学習にみずから深く関わるチャンスを生徒たちに与えることで、教室の空気は乱れることなく、むしろおちついたものになるのだと納得させた。

自律性重視の原則は、私が二〇一五年春に訪ねたべつの学校の教員には即座に受けいれられた。シカゴのウエストサイドにある〈ポラリス・チャーター・アカデミー〉だ。ポラリスは、全国的な非営利団体〈ＥＬエデュケーション〉と提携している（この団体は〈探険学習（エクスペディショナリー・ラーニング）〉の名で知られていたが、前年の一〇月に名称を改めた）。ＥＬエデュケーションの提携校は一五〇を超え、それぞれの学校の背景もさまざまである。都市部にも地方にもあり、自主運営のチャーター・スクールも従来型の公立学校もあり、貧困地域にも中流の地域にもある。ＥＬのネットワークのなかでも、ポラリスはとくに貧困層の生徒の多い学校だ。幼稚園児から八年生までが通う学校で、九一パーセントの生徒に無料の昼食、もしくは昼食の補助金の受給資格がある。学校の所在地周辺、ウエスト・ハンボルト・パークは、犯罪率も失業率も貧困率も高い地区だ。

私はここ何年かのあいだに、シカゴとワシントンDCとニューヨーク市にあるELの学校を訪ねた。EL型モデルを何度も調査したのは、ELがターンアラウンドとおなじく、人間関係と学習指導という二つの〝道具箱〟を使っているからだった。

人間関係の側面で最も重要なのは「クルー」と呼ばれる制度で、生徒たちはグループ単位で数年にわたって一緒に話し合いをしたり助言を受けたりする。このEL型のモデルは、二五年前にハーバード教育学大学院と〈アウトワード・バウンドUSA〉との共同研究から生まれた。アウトワード・バウンドの原則――共有された課題を通して自信と知識を育てること――は、いまもEL型モデルの中心部分に残っている。アウトワード・バウンドの創設者、クルト・ハーンは、「われわれは乗組員(クルー)だ、乗客ではない」というスローガンで有名で、ELの「クルー」もこの言葉から取った名前だ。ELの生徒は全員がどこかのクルーの一員となり、クルー単位で毎日三〇分ほど顔を合わせて、勉強のことや個人的なことなど、生徒にとって大事な問題について話をする。ミドル・スクールやハイ・スクールになると、一〇人から一五人ほどの比較的仲のいい子供たちでクルーをつくる。クルーのメンバーは二年間、ときにはそれより長いあいだ替わらず、担当の教師も毎年おなじだ。その結果、ELの多くの生徒にとって、学校のなかでクルーが最も帰属意識の持てる場所になる。一部の生徒にとっては、学校だけに限らず生活全般における唯一の居場所にもなる。

ポラリスを訪ねた朝、私は六年生のクルーのミーティングに同席した。担当はモリー・ブレイディ、この学校に勤めて六年になる教師だった。月曜日、三週間の休みが明けた初日で、ブレイディはまず生徒たちに、円のなかを歩いて隣りあった人と挨拶や握手をし、休みはどうだったか尋ねるようにいった。その質問への答えは「緑」か「黄色」か「赤」。それぞれ「よかった」「まあまあ」「ひどかった」の意味だ。ここの生徒たちは私がシカゴでＢＡＭの活動を見学したクレメンテの教室の生徒たちより五歳下だったが、ＢＡＭと多くの点で共通点があった。敬意があり、堅苦しくなく打ち解けた様子で、会話は当面の関心事と、大きな問題――「理想を実現するにはどうしたらいいか?」「ポラリスを卒業したらどうしたい?」――のあいだを行ったり来たりした。

ブレイディの率いるこのクルーが活動をはじめてから、もう三年になる。あとでブレイディと話したところ、この三年でメンバー自身やクルー内の力学についてかなり深く理解したので、日々の活動を生徒たちの特定のニーズに合わせて調整できるようになった、と説明してくれた。ある少年は、この年ポラリスに転校してきたばかりだった。校長室に押し入ったためにまえの学校を退学になったのだ。ブレイディによれば、彼はポラリスではまえよりうまくやっているけれど、トラブルの経験を完全には払拭できていないという。先ほどの挨拶と握手のときにも、春休みは「赤」だったと（静かな声で）報告したのは彼だけだった。ブレイディはその答えはとくに気にしなかったが、念のため彼と気の合いそうな少年とペアを組ませ、クルーのミーティングのあとに呼びとめて話しかけ、彼が大丈夫なことを確認した。

クルーは、支えてくれる人間関係で生徒を包もうという、ＥＬの戦略の中心をなす制度だ。しかし私が見たところ、ＥＬの手法においてさらに重要な要素は教育学的側面、つまり特徴的な学習指導の実践のなかにある。ポラリスやほかのＥＬの提携校の授業は、アメリカのふつうの公立学校の教室よりも、生徒の参加を求める双方向のやりとりが多くなるようにつくってある。生徒の議論や、大小のグループ活動が非常に多い。教師が会話を先導することはあるが、一方的に講義をする時間はほかの公立高校の教師たちよりもずっと少ない。ＥＬの生徒たちは手の抜けない厳しい課題を長時間かけてやりとげ、教師や同級生からの批評をもとに、それを何度も大々的に改良する。多くの場合、課題はグループで協力して取り組み、クラス全体、学校全体、あるいは地域社会に向けての発表によって完結する。それに加え、可能なかぎり評価も自分たちで責任を持っておこなう。年に二回、成績表の出る時期が来ると、親やほかの家族が生徒主導の発表会に参加するために学校にやってくる。発表会では、五歳以上の生徒がみなその学期にやりとげたことや苦労したことを親や教師に向けて話す。

ＥＬのカリキュラムや実践を導くのは、教育部門の責任者、ロン・バーガーだ。バーガーは、公立学校の教師として働いたり、マサチューセッツ州の田舎で教育コンサルタントをしたりして二五年を過ごした後、ＥＬに加わった。そして逆境のなかで育った生徒を多く抱えるポラリスのような提携校には特別な思い入れがある。バーガーの説明によれば、こうした感情はバーガー自身の子供時代――不安定で混乱した家庭で四人の兄弟とともに育った体験――に根差している。逆境の代償は大きかった、とバーガーはいう。兄弟のなかには、大人になってから難題や危機に直面した、あるいはいまも直面している者もいるという。結果として、不安定な家庭が引き起こすストレスやトラウマがどのように子供の発達を揺るがし阻害するかは、直接の体験として知っているし、子供たちが幼少期の挫折から回復するには正しい支援が不可欠だと理解している、とバーガーは私に話した。

ＥＬの提携校が生徒の成績に大いにプラスの影響をもたらしていることは、独立機関による研究でも明らかだ。マセマティカ政策研究所による二〇一三年の研究では、ＥＬが提携する都市部のミドル・スクール五校の生徒を、同等のほかの学校の生徒と比較したところ、三年間で数学では一〇カ月分、読解では七カ月分、ＥＬ提携校のほうが進んでいることがわかった。[1] また、ＥＬの教育は低所得層の生徒たちに対してより大きなプラスの効果があることもわかった。

バーガーはこれを意外には思わなかった。ＥＬ型モデルが逆境に育った子供たちに対し、なぜ効くのか、どのように効くのかははっきりわかっていた。「情緒面が損なわれると、子供はさまざまなやり方でそれを自分のアイデンティティに取りこんでしまいます。内にこもって自分を守ろうとする子供もいますし、タフガイの殻をまとって学校では態度を硬化させる子供もいます。いずれにせよ、そういう子供たちはクラスで貢献することができなくなるのです。議論に参加することも、手を挙げることも、勉強に関心を示すこともできなくなる。情熱とか、反応とか、そういったものをすべて抑えこんでしまう。学校で思いきって何かをやってみることができないのです。思いきってやってみなければ、学ぶことはできません」そういう行動には覚えがある、まさに自分が子供のときにやったことだから、とバーガーはいう。バーガーは、自分の家で何が起こっているか、学校の人間にはいっさい知らせなかった。ふたつの世界を完全に切り離していた。学校に行きはしたし、勉強もやるにはやったが、ずっとうわの空だった。

ＥＬ提携校の生徒たちは、私がしたような隠し事はできない、とバーガーはいう。グループが生徒たちを殻から引きだし、教室では、毎日のようにグループ討論や共同の課題があるため、クラスメートや教師とやりとりすることを強いられる。やがてそうしたやりとりが自然なことに感じられるようになる。昨春、アッパー・マンハッタンにあるＥＬのべつの提携校、〈ワシントンハイツＥＬスクール（ＷＨＥＥＬＳ）〉を訪れたときには、どのクラスも、生徒全員の参加を要する複雑な議論や創造的な課題に取り組んでいた。七年生のあるクラスの社会科の授業では、生徒たちは四人ずつのグループに分かれ、グループごとにマジックペンで大きなポスターを書いていた。生徒たちは連邦党と共和党に分かれて一七九〇年代の憲法をめぐる議論をすることになっており、自分たちの党のビジョンを支持するスローガンでポスターを埋め尽くし、全体討論に備えていた。教師は机から机へと静かに歩きまわって質問やアドバイスをしたが、大部分は生徒が自分たちで進めていた。これがアメリカの歴史を勉強しているミドル・スクールの生徒だとは。彼らが心から楽しんでいるように見えることに、私は感銘を受けた。

彼らはニューヨーク市の公立学校のなかでも最貧困に分類される生徒たちである。WHEELSでは一〇〇パーセントの生徒が、家族の収入が連邦の基準を下回るために昼食の補助金を受けており、九九パーセントがラテン系かアフリカ系である。人口統計的に見れば、大都市のミドル・スクールやハイ・スクールのなかでは行動に問題のある落ちこぼれと見なされる層だ。しかしこの日の社会科の授業では複雑な題材の学習に取り組んでおり、行動にもなんの問題もなかった。そしてそれは報奨によって動機づけされているからでも、罰によって脅されているからでもなく、学校が――少なくともこの授業時間のあいだは――面白いからだった。

EL提携校の教員と管理者たちは、性格についての話をたくさんする。「性格」は彼らにとって非認知能力と同義なのだ。ELの考え方では、性格は講義や教師からの直接の指示によってつくられるのではなく、やりがいのある学習作業を粘り強くやりとげた経験によってつくられる。バーガーはいう。「子供たちにもっと自信を持ちなさいとか、知的な胆力を持ちなさいと話すだけで〝性格を教える〟ことはできません。子供たちが性格を学びとるには、サポートを受けながら、思いきってやってみることを継続的に強いられる必要があります。作業を親とともにこなしたり、グループで一緒に勉強をしたり、クラス全員のまえで話をしたり、完成したものを発表したり。このようなクラスへの参加を求められると、生徒たちは最初は緊張したり、わめいたり、助けを求めたりする。しかしやがて自信がついて、自分でやるようになる。そういうチャンスが性格をつくりあげるのです」

私にはこれこそが、ＥＬの提携校で起こっている変化のなかで最も意義深いイノベーションであるように思える。ストレスに満ちた子供時代の影響に取り組もうとするとき、概して学校が頼る最初の——そして唯一の——〝道具箱〟は「人間関係」である。確かに、学校での深く親しい人間関係から生じる絆、帰属意識は必要なのだが、それだけでは足りないというのがＥＬの決定的な見方だ。生徒が本心から学校に興味を持つためには、生徒はこう思う必要がある——自分は重要な活動をしているのだ、深く、手ごわく、やりがいのある活動をしているのだ、と。

意義ある難題に出会い、乗りこえることは、学業への前向きなマインドセット——カミー・ユ・ファリントンのいう、「私はこれを成功させることができる」「私の能力は努力によって伸びる」——をつくるうえで決定的な要素だ。いや、それどころか、子供たちの心のありようを、とりわけ貧困層の子供たちのポジティブな心のありようを最も効果的に生みだす方法でもある。解決方法のわからない問題に出会い、苦労してそれに取り組み（たいていチームメイトに助けられたり、教師からのサポートを受けたりしながら）、最後には答えを出す。そういう瞬間を経験するチャンスがあれば、しなやかな心について抽象的な、あるいは理論的な説明をする必要もない。生徒たちはみずからの体験によって、自分の脳が努力や苦労を通じて育つことに確信を抱くようになるのだ。

21 課題

知的な課題に粘り強く取り組み、苦労しながらやりとげる経験は、生徒たちに深い影響を与える。幼少期の温かいやりとりと同程度の深度で影響を与える。そして「有能感」と「自律性」というふたつの感情を生みだす。デシとライアンが挙げた三つの内発的動機づけのうちの二つだ。しかし多くの学校で、とくに貧困層の子供たちを教える学校で、こうした経験から子供たちを遠ざける指導がおこなわれている。

二〇〇七年、バージニア大学のロバート・ピアンタは、アメリカの公立学校を広範囲に調査した結果をサイエンス誌に発表した。ピアンタと研究チームは、アメリカじゅうの五年生のなかから七三七のクラスを対象とし、そこに一年生と三年生のクラスも何百か加え、学校で一日のうちに出される課題を観察した。[1] その結果、ほとんどすべての学校で、生徒たちに出される課題が単純でくり返しの多いもの、基礎的なスキルを際限なく練習するだけのものであることがわかった。協同学習や小グループでの課題――ターンアラウンドや、ポラリス、WHEELSなどが主軸とする教育戦略――は珍しく、こうした活動にあてられる時間は、授業時間の五パーセントを下回った。つまり、生徒が批判的思考のような分析スキルや、本を深く読みこむ能力、複雑な問題を解く能力を練習によって伸ばせるチャンスもそれだけ少ないということだ。生徒たちが何をやっているかといえば、基礎的なスキルに関する教師の講義を聞くか、その基礎的なスキルをワークシートで練習するかだ。そうやって時間の大半を過ごしている。ピアンタらの報告によれば、平均的な五年生がやらされる基礎的な読み書き計算に関する課題の量は、問題解決や論理思考に焦点を合わせた課題の五倍にのぼる。一年生と三年生では、これが一〇倍になる。[2]

さらに、中流以上の家庭の子供が多い学校でさえ基礎の反復が多く、低所得層の子供が多い学校では状況はいっそう悪かった。中流以上の家庭の子供が多い学校では、自分が参加を求められる興味深い授業を受けていると思うと答えた生徒の割合は全体の四七パーセントで、基礎の反復の授業ばかり受けていると答えた生徒の割合（全体の五三パーセント）とほぼおなじだった。しかし低所得層の子供の多い学校では、生徒のほぼ全員（九一パーセント）が、基礎的で面白くない授業を聞いていると答えた。[3]

アメリカの教育であまりにも広く採用されているこのアプローチが、じつはあたりまえのものではないことには注目しておきたい。ほかの国では、授業の様子はちがっている。一九九〇年代に、ジェームズ・スティグラーという研究者が国際的な一大プロジェクトをたちあげ、その一環として、アメリカとドイツと日本の数学教師を無作為に何百人か選び、八年生を教える授業を録画した。スティグラーはこの研究を要約し、一九九九年にジェームズ・ヒーバートと共著で『日本の算数・数学教育に学べ』（邦訳は二〇〇二年、教育

図15 小学生は、応用的な問題解決よりも、基礎的なスキルのためにより多くの時間を費やしている

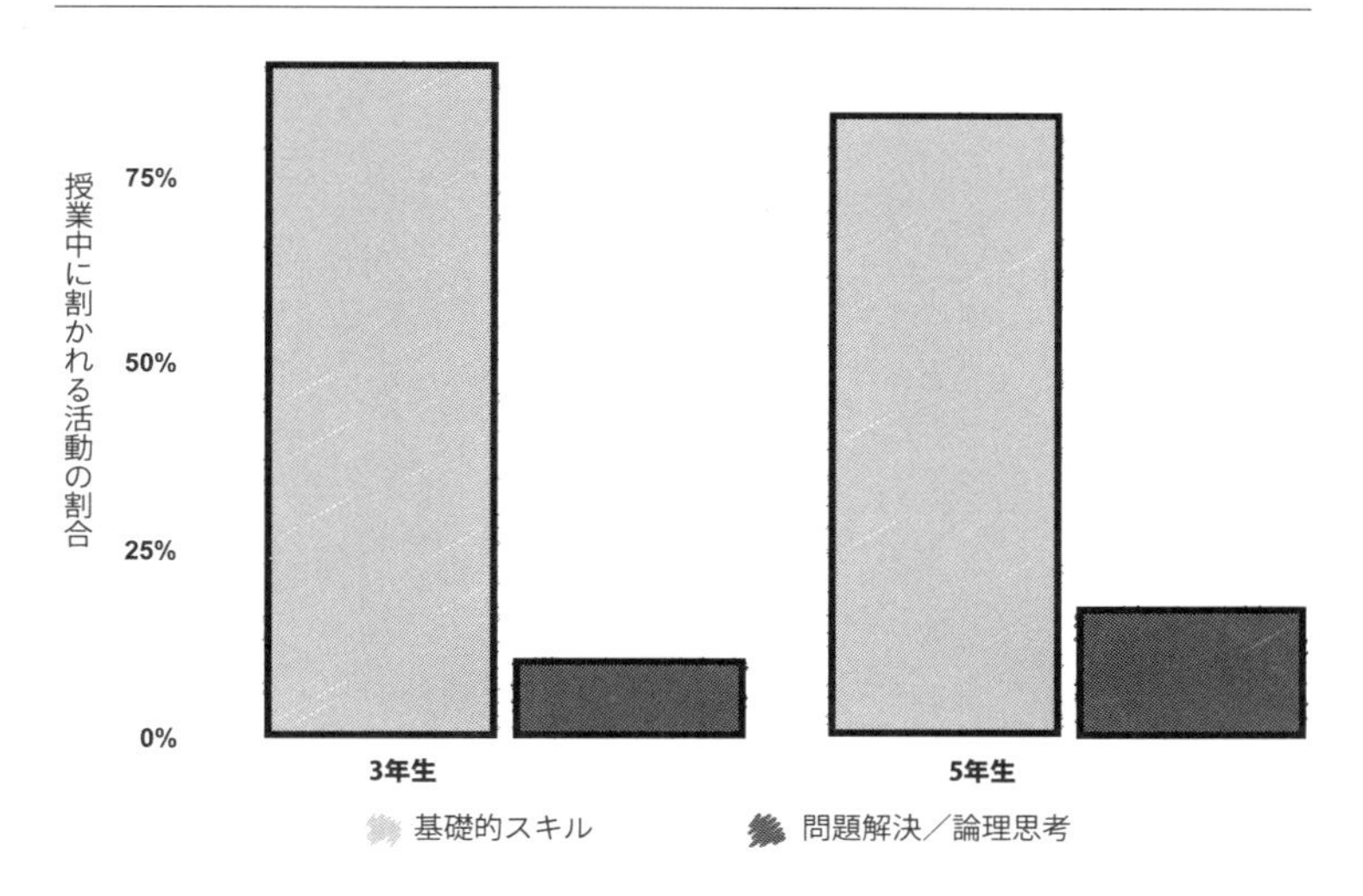

図16 低所得層の生徒に対する授業は基礎の反復になりやすい

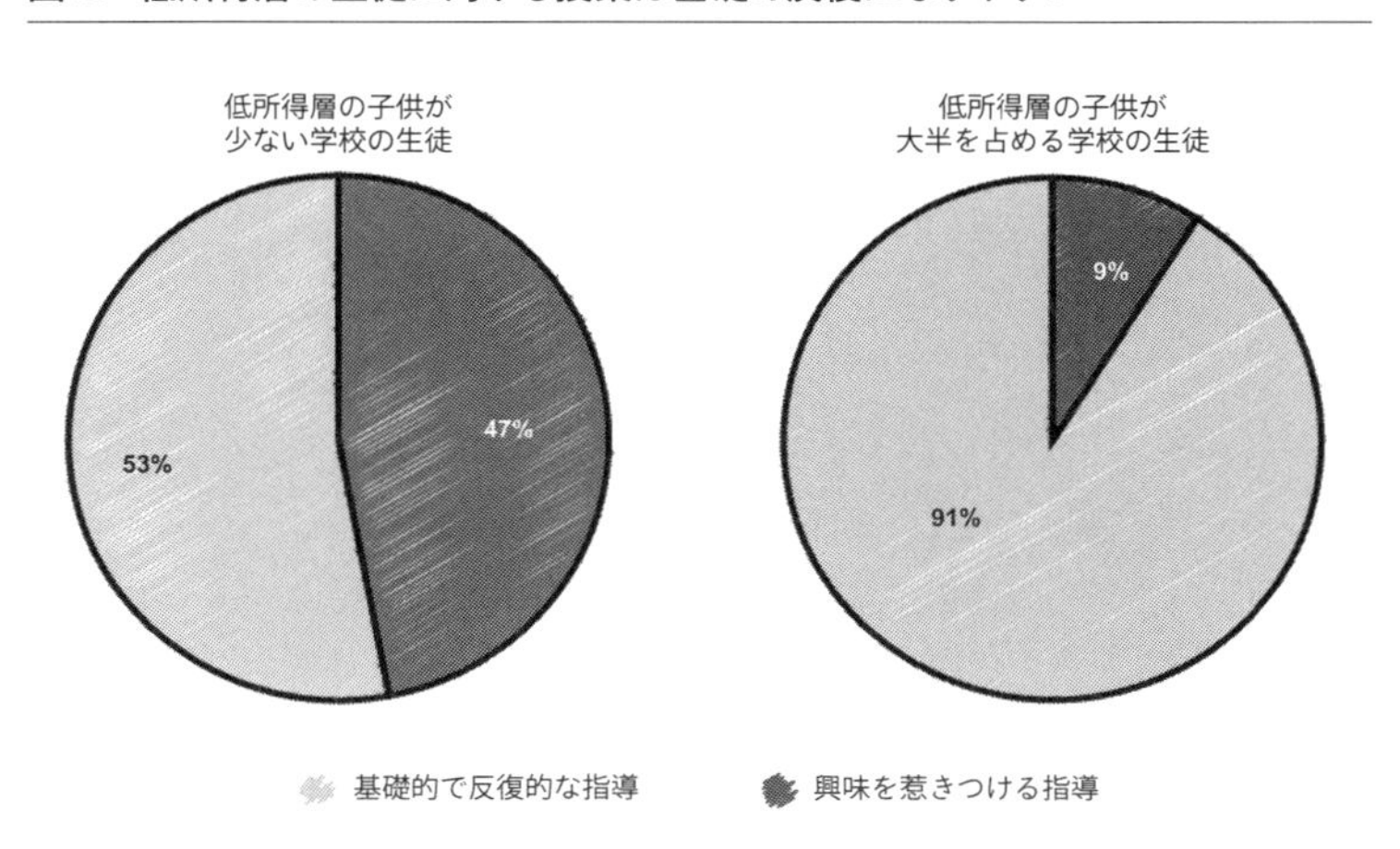

出版）という本を刊行した。スティグラーの発見によれば、日本の数学の授業は、アメリカの数学の授業とはまったく異なった手順で進められていた。[4]

日本では、新しい数学の項目を教えるとき（たとえば、3／5＋1／2のような、分母のちがう分数の足し算を教えるとき）生徒が見たこともない問題を提示し、自分で解いてみるようにいう。生徒たちはしばらくのあいだ問題を眺め、頭をかいたり、ときには苦しそうに顔をしかめながら答えを出す。その答えはたいていまちがっている。

次におこなうのは小グループ、またはクラス全体での話し合いだ。ここで生徒たちは回答を比べあい、議論をしながら異なったアプローチをひねりだす。教師は、最後には数学の新しい要素（この場合だったら、分母の最小公倍数を見つけるという原則）を導入できる方向へ議論を誘導する。正しい回答はたいてい教師ではなく、生徒のなかから出てくる。そこまでのプロセスで、生徒たちはときには途方に暮れることもあり、ときにはイライラすることもあるが、そこも大事なのだ。授業が終わるころには戸惑いも苛立ちも、新しい事柄を深く理解できたという満足に取って代わられる。博識な大人から丸ごと教わったのではなく、生徒同士の対話を通じて一から組み立てたのだから。

これに比べてアメリカの教室では、分母の異なる分数の足し算という新しい単元に入るとき、ふつうは問題を解くのに使える公式を教師が頭上のプロジェクターに映しだすことからはじめ、生徒はそれを書き写し、覚えて、次につづく問題を解くのに使う。教師は頭

図17 アメリカの生徒は反復的な練習に日本の生徒よりも多くの時間を費やす

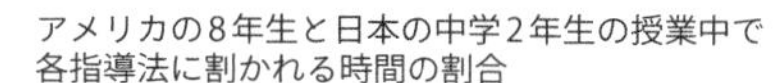

アメリカの8年生と日本の中学2年生の授業中で
各指導法に割かれる時間の割合

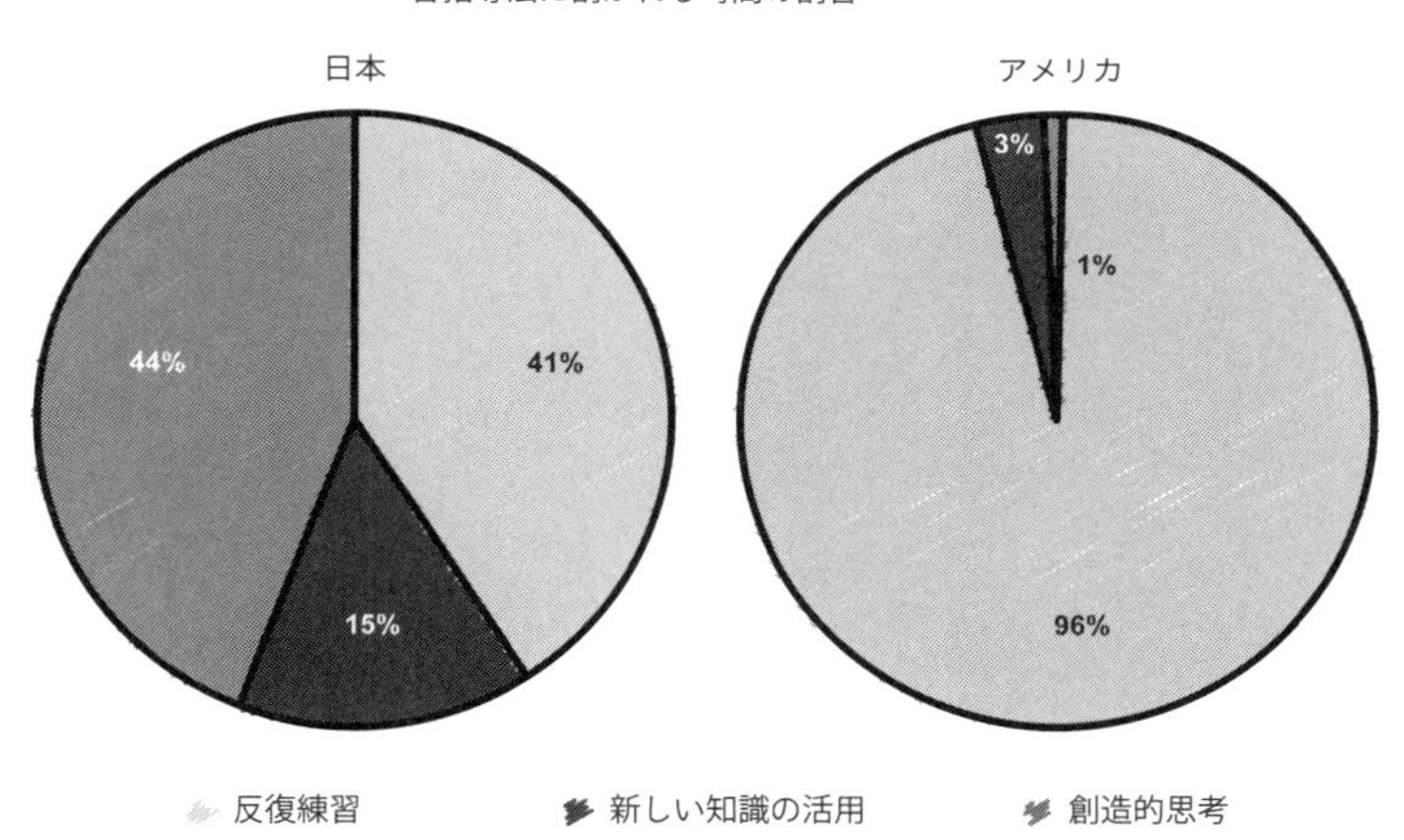

上のプロジェクターで例題をいくつか最後まで解いてみせ、生徒はそれを見て、聞いて、その問題をノートに書き写す。それから教師は生徒たちが自分で解くようにと、先ほどやってみせた例題とそっくりな練習問題を与える。スティグラーとヒーバートが『日本の算数・数学教育に学べ』に書いたところによれば、この指導法の前提は、生徒たちが新しい手順を吸収するのは「何回も練習すること」によってであり、「練習問題は先に進むに従って、まえの問題よりも少しむずかしくなる」という。アメリカの教師の指導の原則では、「練習はまちがいのないように、成功確率の高い状態でおこな

われるべきであるとされる。混乱や不満は、従来のアメリカ式の見解では、最小限に抑えるべきなのである」。

スティグラーのチームは何百時間もの録画データを活用して、こうした文化的な傾向にしっかりした数字をあてはめた。日本では、数学の授業時間の四一パーセントが基礎的な練習、つまり次から次へと問題を解くことに使われている。だが四四パーセントはもっと創造的な活動にあてられていた。新しい手順をあみだしたり、知らない問題に知っている手順を使ってみたり。これに対してアメリカの教室では、生徒の時間の九六パーセントが反復練習に使われ、新しいアプローチについて思案する時間は一パーセントにも満たなかった[5]。

アメリカで支配的なこの指導方法を用いれば、日本の生徒たちが強いられる困惑や苦労、不快感は与えずに済むかもしれないが、ロン・バーガーがいうような「性格をつくりあげるチャンス」も取りあげてしまう。規律を守らせるためのいっさい許容しない(ゼロ・トレランス)方針が、貧困層の子供たちをむしろ学校から遠ざける方向へ働いたのとおなじように、従来のアメリカの教育の多くの要素が、子供たちを成功から遠ざけているのだ。

22 ディーパー・ラーニング（より深い学習）

ＥＬの提携校に広くゆきわたり、ターンアラウンドのコーチが指導のなかで強調する学習指導のテクニックは、こんにちの教育研究の主流――一般的な用語でいうと「ディーパー・ラーニング（より深い学習）」――ともつながっている。この動向は比較的新しいもので、「生徒中心の学習法」と呼ばれることもある。アメリカの先進的な教育研究に端を発するものだが、ビジネス界のリーダーたちがもつ現代的な問題意識も背景にある。それは、アメリカが伝統的に培ってきた公教育のシステムと、現代のアメリカ経済が労働者に求める能力のあいだには壊滅的な溝がある、という考え方だ。教育手法が確立した一世紀以上前には、経済の側面から見た公立学校の役割は、事務仕事やくり返しの多い機械的な仕事をすばやくきちんとこなせる工場労働者を生みだすことだった。しかし、ディーパー・ラーニングの提唱者らが論じるところによれば、いま、この二一世紀に労働市場が必要としているのは、まったく異なったスキルであり、現在の教育システムではこれを伸ばすことができない。それはたとえば、チームで仕事をする能力、人前でアイデアを提示する能力、効果的な文章を書く能力、深い分析思考をする能力、ある状況で覚えた情報やテクニックを見知らぬ新しい問題や状況に対して応用できる能力などだ。こうしたスキルを伸ばすためには練習する機会が必要なのだが、現状では、ほとんどの学校でその機会が得られない。

ディーパー・ラーニングの提唱者たちが奨励するのは、以下のような教育である。

- 探求型の指導——教室で、教師がただ講義をするだけでなく、生徒に議論をさせること。
- プロジェクト型の学習——生徒たちが、たいていはグループで、仕上がるまでに何週間、何カ月もかかるような複雑な課題に取り組むこと。
- 実績重視の評価——生徒たちを期末試験の得点で判断するのではなく、彼らが一年かけて築いた実績、プレゼンテーション、文章、芸術作品などで評価すること。

ディーパー・ラーニングの原則にのっとって運営されている学校には、同級生からの批評や、改良を歓迎する気風がある。作業に取り組む生徒はたいてい、教師やクラスメートからたくさんのフィードバックを受けて改良を重ね、一年をかけて完成させる。批評を受けてくり返し改良したり、長期にわたる課題に粘り強く取り組んだり、実際にやってみたうえで感じる不満に対処したりすることによって、生徒たちの知識や知力が伸びるだけでなく、非認知能力——カミーユ・ファリントンの言葉でいえば「学業のための粘り強さ」、もっと一般的な言葉でいえばグリット、レジリエンス――もまた伸びる。

　これに懐疑的な目を向ける人々も大勢いる。熟練教師の手によって教室でおこなわれるプロジェクト型学習（ＰＢＬ）には高い効果があるかもしれないが、未熟な教師が安易に用いると失敗する、というのが懐疑論者たちの懸念のひとつだ。価値ある授業にするためには、プロジェクトを綿密に計画し、注意深く生徒をサポートし、正確な情報に基づいて授業を進める必要がある。そうでないと、ＰＢＬは栄養のないカロリーのようなもの、生徒の知識を増やすという大きなゴールとは無縁なただの気晴らしになってしまう。

　しかしディーパー・ラーニングを重視するこんにちの風潮の最大の短所は、貧困層の多い学校よりも裕福な地区の学校での導入のほうがはるかに進んでいる点だ。二〇一四年、ハーバード大学教育大学院教授のジャル・メータは、「ディーパー・ラーニングには人種問題がある」という挑発的なタイトルの論文をエデュケーション・ウィーク誌のオンライン版で発表した。[1]メータは、人種と同様に階級も厄介な問題だと述べている。「歴史的に見ても、ディーパー・ラーニングは恵まれた人々の領分、すなわち好条件の学区で生活し、子供たちを優良な私立学校に通わせることのできる人々の領分に属するものだった。富裕層の多い学校に通う生徒たちは将来の経営者層にふさわしい課題解決型の教育を受け、もっと階級の低い、貧困層の多い学校に通う生徒たちは工場労働のようなブルーカラーの仕事を反映した、決まりきった作業を与えられる。これは学校間格差の調査と、同一校内の調査の両方から判明した事実だ」

メータは、こうした格差のいくつかは供給側に原因があると論文のなかで認めている。ディーパー・ラーニングのテクニックを取りいれることのできる人材や自由を持った学校は、多くが豊富な資金のある私立学校か、富裕な地域の公立学校なのだ。しかし分断の原因の大部分は需要側にある、とメータは書く。低所得層やマイノリティの生徒の教育に深く関わる多くの人々が――当の生徒たちの親を含め――不利な状況にある生徒にとってディーパー・ラーニングが最善の方法であると信じていないのだ。こうした懐疑論者たちは、昔はPBLというのは低所得層の学校で使われるお遊びの婉曲表現だったと指摘する。一九六〇年代から一九七〇年代にかけて、裕福な家の子供たちが町の向こうで読み書き計算を習っているあいだ、貧しい子供たちにレゴ遊びやぬり絵遊びをさせることをそう呼んだ時期があったのだった。懐疑論者たちが表明する懸念はまだある。裕福な子供たちは、深く広い基礎知識や言語力を家庭や地域社会ですでに身につけているからいいが、そうした知識を持たない子供たちは、まずそれを伸ばしてからでないと、協同作業やプロジェクト型のアプローチの恩恵を受けられないのではないか。

チャーター・スクール運営者のネットワーク〈エンビジョン・スクールズ〉は、サンフランシスコの四つの学校でPBLを戦略の柱とした教育をおこなっている。四校とも、生徒の大半が低所得層のアフリカ系やラテンアメリカ系の子供たちだ。エンビジョン・スクールズの共同設立者、ボブ・レンズは、二〇一五年に出版した著書『学校を変える』（Transforming Schools）のなかで、階級によってディーパー・ラーニングの効果がちがうのではないかという多くの人々の懸念に言及している。[2]「私たちの教育を説明すると、疑いのまなざしを向けてくる人は実際にいる。ＰＢＬは資金も基礎知識もたっぷりある中流以上の子供向けの贅沢であって、学力格差が大きい状況で不利な側にいる子供たちは基礎的なスキルを強化するためにやるべきことがたくさんあるのだから、創造的な課題なんかで時間を無駄にしている余裕はない、というのだ」レンズはこれに異議を唱える。「私たちが提唱する実績重視型、プロジェクト型の教育を受けるにあたり、準備ができていない子供にも、先へ進みすぎている子供にも、私は出会ったことがない[3]」

相次いであがってきているエビデンスを見ると、レンズのいうとおりだ。ディーパー・ラーニングは、うまく取りいれれば貧困層の生徒たちにも大きな利益をもたらす。先述のように、ＥＬ提携校は低所得層の生徒たちの成績を大幅に上げている。エンビジョン・スクールズの卒業生は、大学でも粘り強く学業をつづけている割合が高い（学校そのものが新しいので、まだ予備的なデータではあるのだが[4]）。そして二〇一四年に米国研究所（ＡＩＲ）がおこなった、カリフォルニア州とニューヨーク州の生徒の成績に関する研究では、ディーパー・ラーニングを取りいれた学校に通うことで、教科内容の知識や標準テストの得点にも好影響があることがわかった[5]（研究対象となった生徒のうち五分の三が低所得層の子供たちで、彼らの得点は低所得層以外の生徒たちの得点とおなじくらい伸びた）。

ディーパー・ラーニングは、〈ナレッジ・イズ・パワー・プログラム（ＫＩＰＰ）〉や〈アンコモン・スクールズ（非公立学校）〉、〈アチーブメント・ファースト〉といった、最貧困層の子供を対象とした教育で標準テストの成績を目覚ましく向上させた有名なチャーター・スクールの初期の評判と関連づけて考えられ、「言いわけなしの哲学」を植えつけるものと思われることも多い。これらの学校は当初、厳しい規律を強調し、服装、教室での態度、廊下の歩き方にいたるまで、厳格な規則に従うよう生徒たちに求めたからだ。こうした学校の多くには、入念なアメとムチのシステムがあった（大半はいまもある）。それが生徒を管理し、モチベーションを高めるための中心的な戦略だったのだ。

しかし最近になって、「言いわけなしの哲学」の学校とディーパー・ラーニングの学校のあいだのくっきりした線がぼやけはじめた。二〇一五年の秋、コネチカット州ニューヘイヴンにある〈エルムシティ・プレパラトリー・エレメンタリー・スクール〉（アチーブメント・ファーストの設立時の学校のひとつ）は、全体的なカリキュラムの見直しをおこなった。それまでの信念や実践を改め、体験学習と生徒の自律性に重きを置くかたちに変えたのだ。エルムシティの生徒（八六パーセントが無料の昼食もしくは補助金の受給資格がある）は、自分で自分のスケジュールを管理し、以前よりも自分の興味に従って学ぶようになった。勉強する科目も自由に選べるようになった。毎日の「人生を豊かにする」コースとして、ロボット工学、ダンス、テコンドーのクラスなども用意されている。二カ月に一度、エルムシティの教員は生徒を二週間の「遠征プロジェクト」に連れていく。生徒たちはそこで一つの科目を深く学ぶのだ。ときには農場、博物館、史跡などを訪れ、校外で長い時間を過ごすこともある。

二〇一五年一二月に、アチーブメント・ファーストの共同設立者、デイシア・トールと話をしたときには、エルムシティの試みはまだ数カ月前にはじまったばかりで、管理者も教員ももっと慣れなければならない、といっていた。トールも関わるカリキュラム見直しチームの面々は、デシとライアンのモチベーションの研究に多大な影響を受けている。先述のとおり、三つの決定的な内発的動機づけである、「自律性」「有能感」「関係性」を重視する考え方だ。トールはこういう。「アチーブメント・ファーストにとっては、〝自律性〟がいちばんむずかしい項目です。以前は、生徒たちにとって何が最善かは私たちが知っている、と思っていました。だから重点的に取り組む項目を子供たち自身に選ばせるのは、私たちにとっても、ちょっとした挑戦でした」しかしこれまでのところ、試みはうまくいっているという。生徒たちは厳しいことで有名なエルムシティの教育をいまも受けているが、以前よりモチベーションも熱意も増し、勉強に熱中している。

23　解決策

ＷＨＥＥＬＳやポラリスのような学校を訪ねると、そこに通う生徒たちの未来だけでなく、低所得層の子供たちへの新しい教育の可能性、逆境の科学的な分析に基づくアプローチがさらに広がっていく可能性についても、希望を抱かずにはいられない。ＡＢＣのコーチや、オール・アワ・キンの保育所のメンターが、乳幼児が育つ環境についての新しいアイデアを辛抱強く広めていくところを観察していても、おなじような希望を感じる。

しかし現実には、私が本書で述べてきたようなアイデアはまだ主流ではなく、ここで詳述した支援は非常に稀なケースである。アメリカ国内で低所得層の子供たちが通う幼稚園や学校の多くは、エデュケアやポラリスのように運営されてはいない。本書の前半で紹介したような、子供の幼少期に焦点を合わせた組織の数は、割合としてはまだ小さく、多く見積もっても数千の子供や家族を支援しているにすぎない。本書で説明してきた学校や教室への介入は、国内の貧しい子供たちのほんの一部に届いているだけであり、教育界の支配的な文化に抵抗している状態である。主流派は、貧困のなかで育つ子供たちのモチベーションを高めて勉強をさせるために、いまとはべつのよりよい方法があるかもしれないなどとは、ほとんど考えもしない。

図18　アメリカの貧しい子供の約半分が、深刻な貧困の中で生活をしている

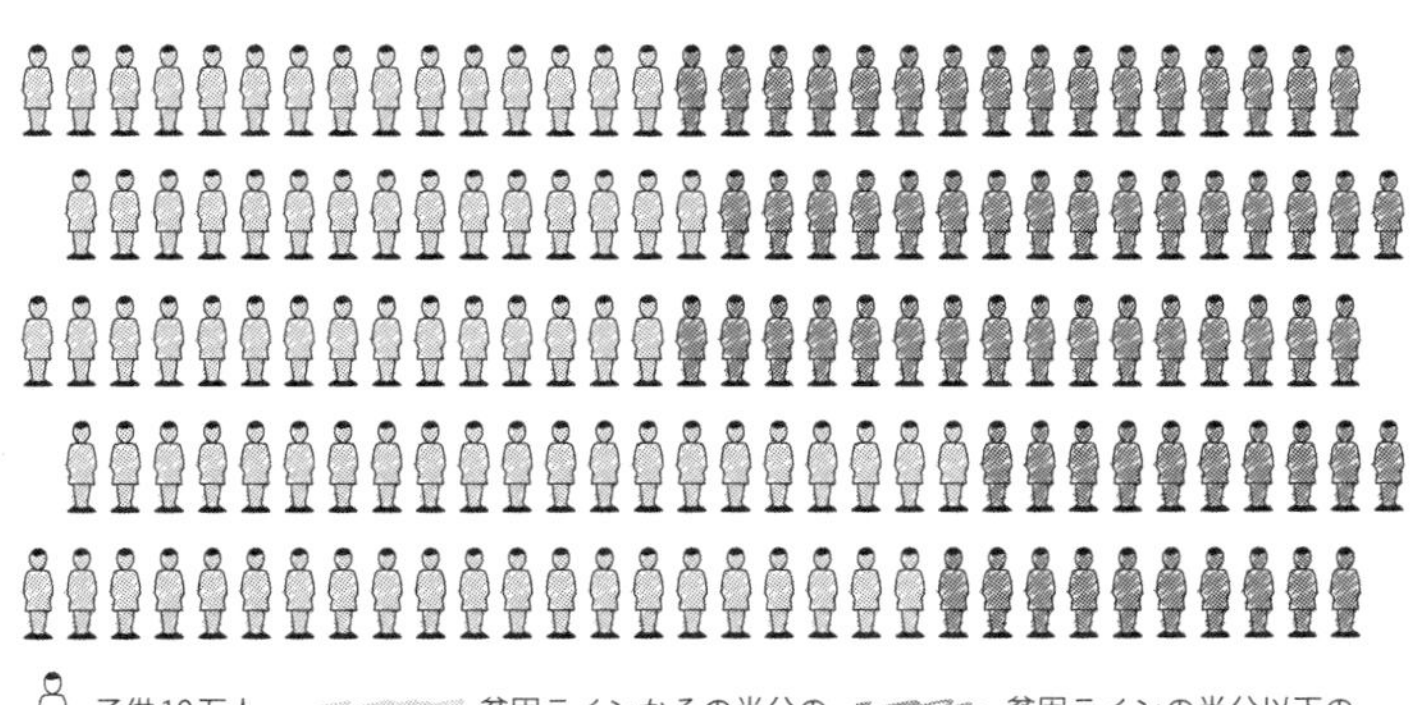

こんにち、貧しい子供たちを支え、教育するための国内のシステムは破綻している。現在アメリカでは、一五〇〇万人を超える子供たちが貧困ラインより下で生活しており、そのうち七〇〇万人近くが深刻な貧困（四人家族の場合で世帯収入が年間一万二〇〇〇ドルを下回る状況）のなかで暮らしている。[1] こうした子供たちの多くが直面する問題は過酷で広範囲に及ぶ。統計的に見て、彼らの家庭は崩壊しており、居住地域は育児支援の余裕などほとんどないほど貧しい。子供たちの体を、または心を、あるいはその両方を傷つける危険は無数にある。学校は人種や階級によって分離され、裕福な子供たちが通う学校よりも教育に使える予算

が少なく、教員もほかの学校の教員より経験が浅かったり、訓練が不十分だったりする。

こうしたきわめて不利な状況に対し、私が本書で述べてきた介入戦略では心もとないように見えるかもしれない。しかし本書で挙げた研究が明らかにしているとおり、不利な状況下にある子供たちの人生に介入すること——学校でよりよい教育を受けさせること、家で支えが得られるように親を手助けすること、あるいは、理想的にはこのふたつを組みあわせること——は、貧困撲滅の戦略として最も効果的な手段であり、将来性も高い。貧困層の子供たちが、親から良好な反応の得られる安定した環境で育ち、帰属意識と目的意識の持てる学校に通い、意欲をかきたて支えてくれる教師の授業を受けられるなら、彼らはすくすく育ち、将来よりよい人生を送れるチャンスも飛躍的に伸びる。

そこで本書の冒頭で提示した疑問に戻るのだ。「話はわかりました。で、結局どうすればいいのですか？」

この問いに対して、三つの提案をしたい。

第一に、私たちは政策を変える必要がある。ターンアラウンドのパメラ・キャンターは、子供に充分な支援が与えられる環境を「強化された環境」と呼ぶが、それを貧困層の子供たちのために一貫してつくりだすには、凝り固まった学校や実践の多くを根本から見直し、つくり直す必要がある。低所得層の親をどう援助するのか。幼少期のケアと教育のためのシステムをどうつくりだし、どう資金を捻出し、どう管理するのか。教員の養成はどのようにするのか。生徒にはどうやって規律を教え、学習成果をどう評価するのか。学校の経営はどのようにするのか。これは本来なら社会政策の問題だ。貧困層の子供たちの問題を解決する方法をほんとうに見つけようとするなら、これらの疑問にはあらゆるレベルの公務員――学校の校長、教育委員会のメンバー、市長、州知事、閣僚――が、そして同時に国じゅうの個々の市民、地域団体、慈善家が、熱意のこもった創造的な方法で答えを出す必要がある。私は本書に、もっと多くの子供たちをもっと効果的に助けることのできる財源の運用と政策の変更についていくつか書いてきた。しかしそうした具体的な提案を超える、もっと大きな願いがある。私たちはいまこそ、社会政策の議論をおこなうべきであり、本書がそれを推進するためのガイドになればいいと思っている。

第二に、私たちは行動を変える必要がある。逆境に育つ子供たちのためによりよい環境をつくりだすプロジェクトは、根本的には個人の仕事だ。つまり、日々低所得層の子供たちのために働いている教師、メンター、ソーシャルワーカー、コーチ、それに親は、大々的に法律が整うまで待つ必要はない。きょう、あした、あさってのうちにも行動を起こせば、それが子供たちの成功を助ける。私がここで説明してきた研究が明らかにしているところによれば、子供たちの人生の軌跡は、大人にとってはたいして重要でもないように見える些細な物事から変わりはじめる。親の声の調子。教師が付箋紙に書くメモ。数学の授業のやり方。難題に直面した子供の話を聞くために、メンターやコーチがほんの少し余分な時間を取ること。こうした個人的な行動が強力な変化を生むこともある。そして個々の変化が国じゅうで共鳴することもある。

第三に、私たちは考え方を変える必要がある。本書で提示してきた支援の研究を読んでいると、データの詳細にとらわれやすい。サンプルの規模とか、標準偏差とか、回帰分析とか。データは確かに重要だ。しかしときには、こうした研究をおこなった個々の人間のことを考えるのも役に立つ。ロシアの孤児院や、ジャマイカの貧困地域や、シカゴの高校や、クイーンズの誰かの家の居間まで出かけていって、「私は子供たちの助けになりたい。私たちはもっとうまくできるはずだ」と発言した医師、心理学者、ソーシャルワーカーたちがいたことを思いだしてほしい。

こうした研究者たちの出したデータが利用できるのとおなじように、彼らの行動そのものもひとつの例として役に立つ。もしコミュニティ内――あるいは国内――で苦しんでいる子供たちがいるならば、何かできることがあるはずだ。それが研究者らの仕事の大前提だった。子供たちへの援助をどう届けるのが最善か、知るべきことはまだたくさんある。研究者たちがおこなっている仕事を私たち自身も引きつぎ、広げる必要がある。自分で何かしら手を打つ必要があることは、すでにわかっているのだから。

逆境にある子供たちを手助けして困難な環境を乗りこえさせるのはむずかしい。たいていはひどく骨の折れる仕事を伴う。気が滅入ることも、気力を挫かれることも、腹立たしいこともあるかもしれない。しかしそれが個々の子供や家族の暮らしのなかだけでなく、私たちのコミュニティ、ひいては国全体に莫大な変化を生むことは、研究結果から明らかだ。その道のプロであることを選んだかどうかにかかわらず、私たち全員にできる仕事である。研究者たちがしてきたように、もっとうまくできるはずだと、まずはしっかり認識すること。最初のステップは、それだけだ。

謝辞

本書は、五つの慈善団体の寛大なサポートがあって生まれた。シティーブリッジ財団、ジョイス財団、レイクス財団、ベイナム・ファミリー財団、S・D・ベクテル・ジュニア財団。励ましと、ジャーナリストとしての自由を提供してくれた、それぞれの団体とそのリーダーたちに感謝している。ジョイス財団のステファニー・バンケーロは、非認知能力がどう発達するかという疑問についてもっと掘りさげてみてはどうかと最初に提案してくれた人物だった。シティーブリッジ財団会長のキャサリン・ブラッドリーは、私が本書の企画をどうするべきか曖昧な考えしか持っていなかったときに相談に乗り、貴重な方向づけをしてくれたうえ、本書に取り組んでいるあいだ絶えずヒントや見通しを示してくれた。シティーブリッジにいるブラッドリーの同僚、アマンダ・ニコルズ、アーサー・マッキー、ベサニー・グレイザー、ミーカ・ウィックもおおいに助けてくれた。アマンダは複雑な助成の仕組みを解説してくれた。その智恵と善意に感謝している。

書きはじめたときには、これは本ではなかった。もともとはオンライン記事にするつもりだった。私のエージェント、デイビッド・マコーミックがこれを本にしようと思いついた最初の人物で、長時間にわたる懸命な仕事によってかたちにしてくれた。ヒュートン・

ミフリン・ハーコート社の編集者、ディアン・アーミーは、同僚のブルース・ニコルズらとともに書籍出版のルールを曲げ、本書を新・旧さまざまなメディアで出版、流通できるようにしてくれた。彼らの協力と支援に感謝している。

ジョエル・ラベルがこの企画の編集を引きうけてくれたのは非常に幸運だった。ラベルは才能ある編集者で、すばらしい友人で、彼の助言は編集上のものだけでなく、多くの障害を乗りこえるために有益だった。パム・シャイムは調査と事実チェックの能力がすばらしく、同時にあらゆる物事について革新的な考え方を持っている。本書をどのようなかたちで発信すべきかについて、彼女の洞察におおいに助けられた。おなじように、ディラン・グライフのデザインのセンスと、物事を創造的に考える能力にも感謝している。彼は、この素材をどうやって複数メディアで同時に発信したらよいか考えてくれた。さらに、ショーン・クーパーの明敏で注意深い原稿整理能力、アン・クラークの熟練の校正と最終的な編集上の助言、チェルシー・カーディナルの美しいカバーデザインにも感謝を。

マイク・ペリゴは、草稿段階から相談相手として時間を割き、専門知識を差しだしてくれた。おなじように、最初の読者たち、デイヴィッド・イェーガー、アーサー・マッキー、ジョージア・フライト、トマス・トッホ、リハ・ファーナム、ステファニー・バンケーロ、ゾーイー・ステムカルデロン、アン・トンの思慮深い指摘もたいへんためになった。

感謝を伝えたい研究者、科学者、教育者も大勢いる。私が彼らの研究や、同分野のほかの研究をよりよく理解できるように、多大な時間と労力を割いてくれた。デイビッド・イェーガー、サイベル・レイバー、パメラ・キャンター、シーラ・ウォーカー、フィリップ・フィッシャー、メアリー・ドージア、クランシー・ブレア、ジャック・ションコフ、カミーユ・ファリントン、キラボ・ジャクソン、ロン・バーガー、デイシア・トール、ジェンス・ルドウィグ。それから、教員、校長など現場の実践者たちにも感謝を。私に仕事を見せてくれたうえで、その背景や理由もあわせて教えてくれた。ブレット・キメル、マルガリータ・プレンサ、タラ・グーレ、モリー・ブレイディ、アン・セクリー、ジェシカ・セイガー、ジャナ・ワグナー、ブランドン・ベイリーズ、ミシェル・ナバール、ロエル・ビビット、ジョン・ウルフ。ステファニー・キングにはとくに感謝している。家族のいる自宅や、ロベルト・クレメンテ・コミュニティ・アカデミーのビカミング・ア・マン・プログラムに招待してくれたうえ、議論の輪に温かく迎えいれてくれた。

本書の原稿の大部分はニューヨーク州モントークの〈レフト・ハンド・コーヒー〉で書かれた。ダニーとダイアナとヤニスに感謝している。観光シーズンが終わったあともいつでもドアをあけておいてくれたうえ、紅茶や南米風コーヒーをたっぷり注いでくれた。

最後に、エリントンとチャールズ、ありがとう。毎日ふたりを見ていると、成長することのほんとうの意味について——子供時代が答えのない難題であると同時に、言葉でいい尽くせないほどの喜びであることについて――新たな考えが湧いてくる。それからいつものとおり、心からの深い感謝を妻ポーラへ。子供時代の逆境は、たとえ完全に払拭できなくとも乗りこえることができる。その例を示してくれた。そして私たちの息子二人を、子供というものにとって必要な愛と献身をもって育ててくれている。

5 Stigler, *Teaching Gap*, 71〔『日本の算数・数学教育に学べ』〕

第22章

1 Jal Mehta, "Deeper Learning Has a Race Problem," *Education Week*: Learning Deeply blog (June 20, 2014)

2 Bob Lenz with Justin Wells and Sally Kingston, *Transforming Schools: Using Project-Based Learning, Performance Assessment, and Common Core Standards* (San Francisco: Jossey-Bass, 2015)

3 Lenz, *Transforming Schools*, 15

4 Lenz, *Transforming Schools*, 3-4

5 Kristina L. Zeiser, James Taylor, Jordan Rickles, Michael S. Garet, and Michael Segeritz, *Findings from the Study of Deeper Learning Report 3: Evidence of Deeper Learning Outcomes* (Washington, D.C.: American Institutes for Research, September 2014)

第23章

1 Carmen DeNavas-Walt and Bernadette D. Proctor, *2014 Current Population Reports: Income and Poverty in the United States* (Washington, D.C.: U.S. Census Bureau, September 2015), Appendix B and Tables 3 and 5

the Cycle of Mistrust: Wise Interventions to Provide Critical Feedback Across the Racial Divide," *Journal of Experimental Psychology: General* 143, no. 2 (April 2014)

4 Yeager et al., "Breaking the Cycle," 808-809

5 Yeager et al., "Breaking the Cycle," 811-812

6 Yeager et al., "Breaking the Cycle," 813-815

第19章

1 Sara B. Heller, Anuj K. Shah, Jonathan Guryan, Jens Ludwig, Sendhil Mullainathan, and Harold A. Pollack, "Thinking, Fast and Slow? Some Field Experiments to Reduce Crime and Dropout in Chicago," NBER Working Paper 21178 (Cambridge, MA: National Bureau of Economic Research, May 2015), 17-19. 最新のデータは今後出版予定の以下のバージョンで見つけられるだろう． Sara B. Heller, Anuj K. Shah, Jonathan Guryan, Jens Ludwig, Sendhil Mullainathan, and Harold A. Pollack, "Thinking, Fast and Slow? Some Field Experiments to Reduce Crime and Dropout in Chicago" (April 2016).

2 Eric Yu and Pamela Cantor, *Poverty, Stress, Schools: Implications for Research, Practice, and Assessment* (New York: Turnaround for Children, August 2013), 6

3 Joseph P. Allen, Robert C. Pianta, Anne Gregory, Amori Yee Mikami, and Janetta Lun, "An Interaction-Based Approach to Enhancing Secondary School Instruction and Student Achievement," *Science* 333, no. 6045 (August 9, 2011)

4 Allen, "An Interaction-Based Approach," 3-4

第20章

1 Ira Nichols-Barrer and Joshua Haimson, *Impacts of Five Expeditionary Learning Middle Schools on Academic Achievement* (Cambridge, MA: Mathematica Policy Research, July 2013)

第21章

1 Robert C. Pianta, Jay Belsky, Renate Houts, and Fred Morrison, "Opportunities to Learn in America's Elementary Classrooms," *Science* 315, no. 5820 (March 2007)

2 Pianta et al., "Opportunities to Learn," 2

3 Pianta et al., "Opportunities to Learn," Supplementary Online Material, Table 7

4 James W. Stigler and James Hiebert, *The Teaching Gap* (New York: Free Press, 1999)〔ジェームズ・W・スティグラー，ジェームズ・ヒーバート『日本の算数・数学教育に学べ』湊三郎訳，教育出版，2002年〕

インから取得できないため，以下の資料も参照のこと．"Non-Cognitive Ability, Test Scores, and Teacher Quality: Evidence from 9th Grade Teachers," NBER Working Paper 18624 (Cambridge, MA: National Bureau of Economic Research, December 2012, revised October 2014).

8 Jackson, "What Do Test Scores Miss?," 2

9 Jackson, "What Do Test Scores Miss?," Appendix 3, Table 1

10 Jim Hull, *Trends in Teacher Evaluation: How States are Measuring Teacher Performance* (Alexandria, VA: Center for Public Education, 2013), 3, 26. See also Stephanie Banchero, "Teachers Lose Jobs Over Test Scores," *The Wall Street Journal*, July 24, 2010

11 Jackson, "What Do Test Scores Miss?," 27, Table 4

第17章

1 Daphna Oyserman, "Identity-Based Motivation," in *Emerging Trends in the Social Sciences, eds. Robert A. Scott and Stephen M. Kosslyn* (New York: John Wiley & Sons, 2015)

2 Camille A. Farrington, Melissa Roderick, Elaine Allensworth, Jenny Nagaoka, Tasha Seneca Keyes, David W. Johnson, and Nicole O. Beechum, *Teaching Adolescents to Become Learners: The Role of Noncognitive Factors in Shaping School Performance* (Chicago: Consortium on Chicago School Research, June 2012)

3 Farrington, "Teaching Adolescents," 6-7

4 Farrington, "Teaching Adolescents," 15-16

5 Farrington, "Teaching Adolescents," 23

6 Farrington, "Teaching Adolescents," 24

7 Farrington, "Teaching Adolescents," 10

第18章

1 David Yeager, Gregory Walton, and Geoffrey L. Cohen, "Addressing Achievement Gaps With Psychological Interventions," *Kappan Magazine R&D* 94, no. 5 (February 2013)

2 Geoffrey L. Cohen, Claude M. Steele, and Lee D. Ross, "The Mentor's Dilemma: Providing Critical Feedback Across the Racial Divide," *Personality and Social Psychology Bulletin* 25, no. 10 (October 1999), 1,303

3 David Scott Yeager, Valerie Purdie-Vaughns, Julio Garcia, Nancy Apfel, Patti Brzustoski, Allison Master, William T. Hessert, Matthew E. Williams, and Geoffrey L. Cohen, "Breaking

on Education (1st Edition), ed. Joshua Aronson (Cambridge, MA: Academic Press, 2002), 64. See also Richard M. Ryan and Edward L. Deci, "Toward a Social Psychology of Assimilation: Self-Determination Theory in Cognitive Development and Education," in *Self Regulation and Autonomy: Social and Developmental Dimensions of Human Conduct*, eds. Bryan W. Sokol, Frederick M. E. Grouzet, and Ulrich Müller (Cambridge, MA: Cambridge University Press, 2013), 193-196.

9 Ryan and Deci, "Toward a Social Psychology," 196

10 Deci and Ryan, "The Paradox of Achievement," 74-75

11 Ryan and Deci, "Toward a Social Psychology," 199

12 Ryan and Deci, "Toward a Social Psychology," 199

13 Deci and Ryan, "The Paradox of Achievement," 78-80

第16章

1 Saul Geiser and Maria V. Santelices, "Validity of High-School Grades in Predicting Student Success Beyond the Freshman Year: High-School Record vs. Standardized Tests as Indicators of Four-Year College Outcomes," *Berkeley Center for Studies in Higher Education Research & Occasional Paper Series* 6, no. 7. See also Elaine M. Allensworth and John Q. Easton, *What Matters for Staying On-Track and Graduating in Chicago Public High Schools: A Close Look at Course Grades, Failures, and Attendance in the Freshman Year* (Chicago: Consortium on Chicago School Research at the University of Chicago, July 2007), 41.

2 John Fensterwald, "Eight California Districts Receive Historic NCLB Waiver," *EdSource* (August 6, 2013)

3 *Social-Emotional & Culture-Climate Domain: Social-Emotional Skills* (Sacramento: California Office to Reform Education, March 29, 2016)

4 Craig Clough, "6 Things to Know about LAUSD's New School Accountability System," *LA School Report* (February 4, 2016)

5 Angela L. Duckworth and David Scott Yeager, "Measurement Matters: Assessing Personal Qualities Other Than Cognitive Ability for Educational Purposes," *Educational Researcher* 44, no. 4 (May 2015)

6 Duckworth and Yeager, "Measurement Matters," 239-241, 244

7 C. Kirabo Jackson, "What Do Test Scores Miss? The Importance of Teacher Effects on Non-Test Score Outcomes," NBER Working Paper 22226 (Cambridge, MA: National Bureau of Economic Research, May 2016). この2016年の論文は多くの読者がオンラ

2 Roland G. Fryer, "Teacher Incentives and Student Achievement: Evidence from New York City Public Schools," *Journal of Labor Economics* 31, no. 2 (April 2013)

3 Fryer, "Teacher Incentives and Student Achievement," 373

4 Roland G. Fryer, Jr., "Financial Incentives and Student Achievement: Evidence from Randomized Trials," *Quarterly Journal of Economics* 126, no. 4 (November 2011), 1,757

5 Roland G. Fryer, Jr., "Aligning Student, Parent, and Teacher Incentives: Evidence from Houston Public Schools," NBER Working Paper 17752 (Cambridge, MA: National Bureau of Economic Research, January 2012)

6 Fryer, "Aligning Student, Parent, and Teacher Incentives," 20 and 25

7 Fryer, "Aligning Student, Parent, and Teacher Incentives," 15

8 Jonathan Guryan, James S. Kim, and Kyung Park, "Motivation and Incentives in Education: Evidence from a Summer Reading Experiment," NBER Working Paper 20918 (Cambridge, MA: National Bureau of Economic Research, January 2015)

9 Guryan, "Motivation and Incentives," 26

10 Guryan, "Motivation and Incentives," 29

第15章

1 Karen McCally, "Self-Determined," *Rochester Review* 72, no. 6 (July-August 2010). See also Daniel H. Pink, *Drive* (New York: Riverhead Books, 2009)〔ダニエル・ピンク『モチベーション 3.0』大前研一訳，講談社，2010年〕

2 Edward L. Deci and Richard M. Ryan, "The 'What' and 'Why' of Goal Pursuits: Human Needs and the Self-Determination of Behavior," *Psychological Inquiry* 11, no. 4 (2000), 233

3 Deci and Ryan, "The 'What' and 'Why'," 228

4 Deci and Ryan, "The 'What' and 'Why'," 233

5 Pink, *Drive*, 5-9〔『モチベーション 3.0』〕

6 Mark R. Lepper and David Greene, "Undermining Children's Intrinsic Interest with Extrinsic Reward: A Test of the 'Overjustification' Hypothesis," *Journal of Personality and Social Psychology* 28, no. 1 (1973). See also Pink, *Drive*, 35-36.〔『モチベーション 3.0』〕

7 Lepper, "Undermining Children's Intrinsic Interest," 135-136.

8 Edward L. Deci and Richard M. Ryan, "The Paradox of Achievement: The Harder You Push, the Worse it Gets," in *Improving Academic Achievement: Impact of Psychological Factors*

5 C. Cybele Raver, Stephanie M. Jones, Christine Li-Grining, Fuhua Zhai, Kristen Bub, and Emily Pressler, "CSRP's Impact on Low-Income Preschoolers' Preacademic Skills: Self-Regulation as a Mediating Mechanism," *Child Development* 82, no. 1 (2011), 5

6 Raver, "CSRP's Impact," 4

7 Raver, "CSRP's Impact," 5

8 Raver, "CSRP's Impact," 13

9 Raver, "CSRP's Impact," 14

第12章

1 K. Brooke Stafford-Brizard, *Building Blocks for Learning: A Framework for Comprehensive Student Development* (New York: Turnaround for Children, 2016)

2 Stafford-Brizard, "Building Blocks," 4

第13章

1 W. David Stevens et al., *Discipline Practices in Chicago Schools* (Chicago: University of Chicago Consortium on Chicago School Research, March 2015), 5

2 Office for Civil Rights, *Civil Rights Data Collection: Data Snapshot* (School Discipline) (Washington, D.C.: U.S. Department of Education, March 2014), 1

3 Lauren Sartain et al., *Suspending Chicago's Students* (Chicago: University of Chicago Consortium on Chicago School Research, September 2015), 12

4 Stevens et al., *Discipline Practices*, 22

5 Stevens et al., *Discipline Practices*, 16

6 Sartain et al., *Suspending Chicago's Students*, 12

7 Brea L. Perrya and Edward W. Morris, "Suspending Progress: Collateral Consequences of Exclusionary Punishment in Public Schools," *American Sociological Review* 79, no. 6 (2014)

8 Perrya and Morris, "Suspending Progress," 10-15

第14章

1 Roland G. Fryer, Jr., "Information and Student Achievement: Evidence from a Cellular Phone Experiment," NBER Working Paper 19113 (Cambridge, MA: National Bureau of Economic Research, June 2013)

11 L. Alan Sroufe, Byron Egeland, Elizabeth A. Carlson, and W. Andrew Collins, *The Development of the Person: The Minnesota Study of Risk and Adaptation from Birth to Adulthood* (New York: Guilford Press, 2005)

12 Ellen Moss et al., "Evidence for the Efficacy of Attachment-Based Interventions for Maltreating Parents and Their Children," *Integrating Science and Practice* 2, no. 1 (March 2012)

13 Dante Cicchetti, Fred A. Rogosch, and Sheree L. Toth, "Fostering Secure Attachment in Infants in Maltreating Families Through Preventive Interventions," *Development and Psychopathology* 18, no. 3 (2006)

14 Cicchetti et al., "Fostering Secure Attachment," 637-638

第10章

1 Center on the Developing Child, "Science of Neglect," 12

2 Mary Dozier et al., "Developing Evidence-Based Interventions for Foster Children: An Example of a Randomized Clinical Trial with Infants and Toddlers," *Journal of Social Issues* 62, no. 4 (2006).『成功する子 失敗する子』でも論じた.

3 Center on the Developing Child, "Science of Neglect," 12

第11章

1 James J. Heckman, "The American Family in Black & White: A Post-Racial Strategy for Improving Skills to Promote Equality," *Dædalus, the Journal of the American Academy of Arts & Sciences* 140, no. 2 (Spring 2011), 77

2 Noreen M. Yazejian and Donna M. Bryant, *Educare Implementation Study Findings - August 2012* (Chapel Hill, N.C.: Frank Porter Graham Child Development Institute, 2012). See also Noreen Yazejian, Donna Bryant, Karen Freel, Margaret Burchinal, and the Educare Learning Network Investigative Team, "High-Quality Early Education: Age of Entry and Time in Care Differences in Student Outcomes for English-Only and Dual Language Learners," *Early Childhood Research Quarterly* 32 (2015)

3 Christina Nelson, Toni Porter, and Kayla Reiman, *Examining Quality in Family Child Care: An Evaluation of All Our Kin* (New Haven: All Our Kin, March 2016)

4 Alexandra Ursache, Clancy Blair and C. Cybele Raver, "The Promotion of Self-Regulation as a Means of Enhancing School Readiness and Early Achievement in Children at Risk for School Failure," *Child Development Perspectives* 6, no. 2 (June 2012), 124

(Washington, D.C.: J.B. and M.K. Pritzker Family Foundation and the Bridgespan Group, 2015), 14. このデータの出典は以下. Sara Edelstein, Julia Isaacs, Heather Hahn, and Katherine Toran, *How Do Public Investments in Children Vary with Age? A Kid's Share Analysis of Expenditures in 2008 and 2011 by Age Group* (Washington, D.C: The Urban Institute, October 2012), 12

5 Stephanie M. Carlson, "Social Origins of Executive Function Development," *New Directions in Child and Adolescent Development* 123 (2009)

第9章

1 Paul Gertler, James Heckman, Rodrigo Pinto, Arianna Zanolini, Christel Vermeersch, Susan Walker, Susan M. Chang, and Sally Grantham-McGregor, "Labor Market Returns to an Early Childhood Stimulation Intervention in Jamaica," *Science* 344, no. 6187

2 Gertler et al., "Labor Market Returns," 1000. See also Susan P. Walker, Susan M. Chang, Marcos Vera-Hernández, and Sally Grantham-McGregor, "Early Childhood Stimulation Benefits Adult Competence and Reduces Violent Behavior," *Pediatrics* 127, no. 5 (May 2011)

3 Walker et al., "Early Childhood Stimulation," 852-854. See also Susan P. Walker, Sally M. Grantham-McGregor, Christine A. Powell, and Susan M. Chang, "Effects of Growth Restriction in Early Childhood on Growth, IQ, and Cognition at Age 11 to 12 years and the Benefits of Nutritional Supplementation and Psychosocial Stimulation," *The Journal of Pediatrics* 137, no. 1 (July 2000), 39-40

4 Gertler, "Labor Market Returns," 998-999

5 *Evidence Summary for the Nurse-Family Partnership* (Washington, D.C.: Coalition for Evidence-Based Policy, June 2014), 1

6 *Evidence Summary*, 4

7 Dana Suskind et al., "A Parent-Directed Language Intervention for Children of Low Socioeconomic Status: a Randomized Controlled Pilot Study," *Journal of Child Language* 43, no. 2 (March 2016), 35

8 Betty Hart and Todd R. Risley, *Meaningful Differences in the Everyday Experience of Young American Children* (Baltimore, MD: Paul Brookes Publishing, 1995) and Neuman, "Access to Print," 8

9 Suskind et al., "A Parent-Directed Language Intervention," 37

10 この分析については, 『成功する子 失敗する子』でも詳しく論じている.

第7章

1 Alice M. Graham, Philip A. Fisher, and Jennifer H. Pfeifer, "What Sleeping Babies Hear: An fMRI Study of Interparental Conflict and Infants' Emotion Processing," *Psychological Science* 24, no. 5 (2013)

2 Center on the Developing Child at Harvard University, "The Science of Neglect: The Persistent Absence of Responsive Care Disrupts the Developing Brain," Working Paper 12 (2012)

3 Center on the Developing Child, "The Science of Neglect," 2

4 Center on the Developing Child, "The Science of Neglect," 4

5 Kathryn L. Hildyard and David A. Wolfe, "Child Neglect: Developmental Issues and Outcomes," *Child Abuse & Neglect* 26, no. 6/7 (June 2002)

6 Center on the Developing Child, "The Science of Neglect," 3

7 The St. Petersburg-USA Orphanage Research Team, "The Effects of Early Social-Emotional and Relationship Experience on the Development of Young Orphanage Children," *Monographs of the Society for Research in Child Development* 73, no. 3 (2008)

8 Junlei Li and Megan M. Julian, "Developmental Relationships as the Active Ingredient: A Unifying Working Hypothesis of 'What Works' Across Intervention Settings," *American Journal of Orthopsychiatry* 82, no. 2 (2012), 159

9 Orphanage Research Team, "The Effects," 145

10 Orphanage Research Team, "The Effects," 130

11 Orphanage Research Team, "The Effects," 112

第8章

1 Organisation for Economic Co-operation and Development (OECD), "IN2.1.B: Public Social Expenditure By Age Group, 2007," *OECD Child Well-Being Module* (October 28, 2011), 2

2 Sneha Elango, Jorge Luis Garcia, James J. Heckman, Andrés Hojman, "Early Childhood Education," IZA Discussion Paper No. 9476 (Bonn: Institute for the Study of Labor, November 2015). See esp. 59 and 64-66.

3 Elango et al., "Early Childhood Education," 8

4 J.B. Pritzker, Jeffrey L. Bradach, and Katherine Kaufmann, *Achieving Kindergarten Readiness for All Our Children: A Funder's Guide to Early Childhood Development from Birth to Five*

第6章

1 "About the CDC-Kaiser ACE Study," a page on the website of the Centers for Disease Control and Prevention. ACEについては『成功する子 失敗する子』でもより詳しく論じた.

2 Robert Anda, "The Health and Social Impact of Growing Up with Adverse Childhood Experiences," presentation at the 2007 Guest House Institute Summer Leadership Conference in Minneapolis, 6

3 Robert F. Anda, Vincent J. Felitti, et al., "The Enduring Effects of Abuse and Related Adverse Experiences in Childhood: A Convergence of Evidence from Neurobiology and Epidemiology," *European Archives of Psychiatry and Clinical Neuroscience* 56 (2006). See also Valerie J. Edwards et al., "The Wide-Ranging Health Outcomes of Adverse Childhood Experiences," in *Child Victimization*, eds. Kathleen A. Kendall-Tackett and Sarah M. Giacomoni (Kingston, NJ: Civic Research Institute, 2005) and Maxia Dong et al., "Adverse Childhood Experiences and Self-Reported Liver Disease," *Archives of Internal Medicine* 163 (September 8, 2003). これらの資料は,『成功する子 失敗する子』でも紹介している.

4 Vincent J. Felitti et al., "Relationship of Childhood Abuse and Household Dysfunction to Many of the Leading Causes of Death in Adults," *American Journal of Preventive Medicine* 14, no. 4 (May 1998).『成功する子 失敗する子』でも検討している. 初期のACE研究で得られた発見は, その後の以下の研究でも再確認されている. Anda, Felitti, et al., "Enduring Effects" ; Vincent J. Felitti and Robert F. Anda, "The Relationship of Adverse Childhood Experiences to Adult Medical Disease, Psychiatric Disorders, and Sexual Behavior: Implications for Healthcare," in *The Hidden Epidemic: The Impact of Early Life Trauma on Health and Disease*, eds. Ruth A. Lanius, Eric Vermetten, and Clare Pain (Cambridge: Cambridge University Press, 2010); and Shanta R. Dube, et al., "Childhood Abuse, Household Dysfunction, and the Risk of Attempted Suicide Throughout the Life Span," *Journal of the American Medical Association* 286, no. 24 (December 26, 2001)

5 Center on the Developing Child, "Building the Brain's 'Air Traffic Control' System," 6-7

6 Nadine J. Burke, Julia L. Hellman, Brandon G. Scott, Carl F. Weems, and Victor G. Carrion, "The Impact of Adverse Childhood Experiences on an Urban Pediatric Population," *Child Abuse & Neglect* 35, no. 6 (June 2011)

7 Christina D. Bethell, Paul Newacheck, Eva Hawes, and Neal Halfon, "Adverse Childhood Experiences: Assessing the Impact on Health and School Engagement and the Mitigating Role of Resilience," *Health Affairs* 33, no. 12 (2014)

8 Paul Tough, *How Children Succeed: Grit, Curiosity, and the Hidden Power of Character* (New York: Houghton Mifflin Harcourt, 2012)〔ポール・タフ『成功する子 失敗する子』高山真由美訳，英治出版，2013 年〕

9 Terrie E. Moffitt et al., "A Gradient of Childhood Self-Control Predicts Health, Wealth, and Public Safety," *Proceedings of the National Academy of Sciences* 108, no. 7 (February 2011)

第 3 章

1 『成功する子 失敗する子』の特に第 3 章「考える力」を参照．

2 Tough, *How Children Succeed*, 45ff〔『成功する子 失敗する子』〕

第 4 章

1 Susan B. Neuman and Donna Celano, "Access to Print in Low-Income and Middle-Income Communities: An Ecological Study of Four Neighborhoods," *Reading Research Quarterly* 36, no. 1 (January-March 2001)

2 Betty Hart and Todd R. Risley, "The Early Catastrophe: The 30 Million Word Gap by Age 3," *American Educator* (Spring 2003)

3 National Scientific Council on the Developing Child, "Excessive Stress Disrupts the Architecture of the Developing Brain," Working Paper 3, updated edition (2014)

4 Clancy Blair and C. Cybele Raver, "Child Development in the Context of Adversity," *American Psychologist* 67, no. 4 (May-June 2012)

5 Center on the Developing Child at Harvard University, "Building the Brain's 'Air Traffic Control' System: How Early Experiences Shape the Development of Executive Function," Working Paper 11 (2011)

第 5 章

1 National Scientific Council on the Developing Child, "Young Children Develop in an Environment of Relationships." Working Paper 1 (2004)

2 National Scientific Council on the Developing Child, "Persistent Fear and Anxiety Can Affect Young Children's Learning and Development," Working Paper 9 (2010)

3 Ian C.G. Weaver et al., "Epigenetic Programming by Maternal Behavior," Nature Neuroscience 7, no. 8 (August 2004). この研究については『成功する子 失敗する子』でもより詳しく論じた．

原注

第1章

1 Steve Suitts, Katherine Dunn, and Pamela Barba, *A New Majority: Low Income Students Now a Majority In the Nation's Public Schools* (Atlanta:Southern Education Foundation, January 2015)

2 1996年から2003年までの算数・数学の成績については以下の資料を参照. National Center for Education Statistics, *The Nation's Report Card: Mathematics Highlights 2003* (NCES 2004–451) (Washington, D.C.: U.S. Department of Education, 2004), 15; 1996年から2003年までの読解の成績は以下を参照. National Center for Education Statistics, *The Nation's Report Card: Reading Highlights 2003* (NCES 2004-452) (Washington, D.C.: U.S. Department of Education, 2004), 15. 2003年から2013年までの統計は以下の資料から得られる. The U.S. Department of Education's Nation's Report Card website.

3 Sean F. Reardon, "The Widening Academic Achievement Gap Between the Rich and the Poor: New Evidence and Possible Explanations," in *Whither Opportunity? Rising Inequality and the Uncertain Life Chances of Low-Income Children*, eds. Greg Duncan and Richard Murnane (New York: Russell Sage Foundation Press, 2011). この研究では, 世帯の所得が上位10パーセントであれば「富裕層」, 下位10パーセントであれば「貧困層」と子供の所属階層が定義された.

4 Martha J. Bailey and Susan M. Dynarski, "Gains and Gaps: Changing Inequality in U.S. College Entry and Completion," NBER Working Paper 17633 (Cambridge, MA: National Bureau of Economic Research, December 2011)

5 Carmen DeNavas-Walt and Bernadette D. Proctor, *Income and Poverty in the United States: 2014 Current Population Report* (Washington, D.C.: U.S. Census Bureau, September 2015)

6 Michael Greenstone, Adam Looney, Jeremy Patashnik, and Muxin Yu, *Hamilton Policy Memo: Thirteen Economic Facts about Social Mobility and the Role of Education* (Washington, D.C.: The Brookings Institution and the Hamilton Project, June 2013), 14. The original source for the data is Ron Haskins, "Education and Economic Mobility," in *Getting Ahead or Losing Ground: Economic Mobility in America, eds. Julia B. Isaacs, Isabel V. Sawhill, and Ron Haskins* (Washington, D.C.: The Brookings Institution and the Economic Mobility Project, 2008), 95.

7 Paul Tough, *Whatever It Takes: Geoffrey Canada's Quest to Change Harlem and America* (New York: Houghton Mifflin Harcourt, 2008)

図 8 Mary Dozier et al., "Developing Evidence-Based Interventions for Foster Children: An Example of a Randomized Clinical Trial with Infants and Toddlers," *Journal of Social Issues* 62, no. 4 (2006), 777

図 9 Lisa St. Clair, *Educare of Omaha School Age Follow Up Study* (Omaha: Educare, 2012)

図 10 K. Brooke Stafford-Brizard, *Building Blocks for Learning: A Framework for Comprehensive Student Development* (New York: Turnaround for Children, 2016), 5

図 11 Lauren Sartain et al, *Suspending Chicago's Students*, (Chicago: University of Chicago Consortium on Chicago School Research, September 2015) 12

図 12 W. David Stevens et al., *Discipline Practices in Chicago Schools* (Chicago: University of Chicago Consortium on Chicago School Research, March 2015), 22 and Appendix B

図 13 David Scott Yeager, Valerie Purdie-Vaughns, Julio Garcia, Nancy Apfel, Patti Brzustoski, Allison Master, William T. Hessert, Matthew E. Williams, and Geoffrey L. Cohen, "Breaking the Cycle of Mistrust: Wise Interventions to Provide Critical Feedback Across the Racial Divide," *Journal of Experimental Psychology: General* 143, no. 2 (April 2014), 811-815

図 14 Sara B. Heller, Anuj K. Shah, Jonathan Guryan, Jens Ludwig, Sendhil Mullainathan, and Harold A. Pollack, "Thinking, Fast and Slow? Some Field Experiments to Reduce Crime and Dropout in Chicago," as-yet-unpublished paper (April 2016), 17-19

図 15 Robert C. Pianta, Jay Belsky, Renate Houts, and Fred Morrison, "Opportunities to Learn in America's Elementary Classrooms," Science 315, no. 5820 (March 2007), Supplementary Online Material, Table 4 and National Institute of Child Health and Human Development Early Child Care Research Network, "A Day in Third Grade: A Large-Scale Study of Classroom Quality and Teacher and Student Behavior," *Elementary School Journal* 105, no. 3 (January 2005), Table 2

図 16 Robert C. Pianta, Jay Belsky, Renate Houts, and Fred Morrison, "Opportunities to Learn in America's Elementary Classrooms," *Science* 315, no. 5820 (March 2007), Supplementary Online Material, Table 7

図 17 James W. Stigler and James Hiebert, *The Teaching Gap* (New York: Free Press, 1999), 71

図 18 Carmen DeNavas-Walt and Bernadette D. Proctor, *2014 Current Population Reports: Income and Poverty in the United States* (Washington, D.C.: U.S. Census Bureau, September 2015), Appendix B and Tables 3 and 5

図表デザイン：Dylan Rosal Greif

図表出典

図1 Steve Suitts, Katherine Dunn, and Pamela Barba, *A New Majority: Low Income Students Now a Majority in the Nation's Public Schools* (Atlanta: Southern Education Foundation, January 2015) and National Center for Education Statistics, *Digest of Education Statistics* (Washington, D.C.: U.S. Department of Education, 2009-14)

図2 Michael Greenstone, Adam Looney, Jeremy Patashnik, and Muxin Yu, "Hamilton Policy Memo: Thirteen Economic Facts about Social Mobility and the Role of Education" (Washington D.C.: Brookings and The Hamilton Project, June 2013), 14. The original source for the data is Ron Haskins, "Education and Economic Mobility" in *Getting Ahead or Losing Ground: Economic Mobility in America*, eds. Julia B. Isaacs, Isabel V. Sawhill, and Ron Haskins (Washington, D.C.: The Brookings Institution and the Economic Mobility Project, 2008), 95.

図3 Robert F. Anda, Vincent J. Felitti, et al., "The Enduring Effects of Abuse and Related Adverse Experiences in Childhood: A Convergence of Evidence from Neurobiology and Epidemiology," *European Archives of Psychiatry and Clinical Neuroscience* 56 (2006) and Vincent J. Felitti et al., "Relationship of Childhood Abuse and Household Dysfunction to Many of the Leading Causes of Death in Adults," *American Journal of Preventive Medicine* 14, no. 4 (May 1998)

図4 Robert F. Anda, Vincent J. Felitti, et al., "The Enduring Effects of Abuse and Related Adverse Experiences in Childhood: A Convergence of Evidence from Neurobiology and Epidemiology," *European Archives of Psychiatry and Clinical Neuroscience* 56 (2006)

図5 Nadine J. Burke, Julia L. Hellman Brandon G. Scott, Carl F. Weems, and Victor G. Carrion, "The Impact of Adverse Childhood Experiences on an Urban Pediatric Population," *Child Abuse and Neglect* 35, no. 6 (June 2011).

図6 J.B. Pritzker, Jeffrey L. Bradach, and Katherine Kaufmann, *Achieving Kindergarten Readiness for All Our Children: A Funder's Guide to Early Childhood Development from Birth to Five* (Washington, D.C.: J.B. and M.K. Pritzker Family Foundation and the Bridgespan Group, 2015), 14. The original source for the data is Sara Edelstein, Julia Isaacs, Heather Hahn, and Katherine Toran, *How Do Public Investments in Children Vary with Age? A Kid's Share Analysis of Expenditures in 2008 and 2011 by Age Group* (Washington, D.C: The Urban Institute, October 2012), 11-12

図7 Martha Farrell Erickson, L. Alan Sroufe, and Byron Egeland, "The Relationship Between Quality of Attachment and Behavior Problems in Preschool in a High-Risk Sample," *Monographs of the Society for Research in Child Development* 50, no. 1/2 (1985), 156

［著者紹介］

ポール・タフ

Paul Tough

『ハーパーズ・マガジン』『ニューヨーク・タイムズ・マガジン』編集者・記者を経て、フリーのジャーナリスト。子供の貧困と教育政策を専門に多数の執筆・講演活動を行う。著書に『成功する子 失敗する子』（英治出版）。

［訳者紹介］

高山真由美

Mayumi Takayama

東京生まれ。翻訳者。訳書にポール・タフ『成功する子 失敗する子』、ジェニファー・シニア『子育てのパラドックス』（ともに英治出版）、ハンナ・ジェイミスン『ガール・セヴン』（文藝春秋）、M・J・カーター『紳士と猟犬』（早川書房）など。

［日本語版まえがき］

駒崎弘樹

Hiroki Komazaki

病児保育、障害児保育、保育園運営などの事業を通じて社会課題の解決を推進し、政策提言を行う「認定NPO法人フローレンス」代表理事。公職に厚生労働省「イクメンプロジェクト」座長、内閣府「子ども・子育て会議」委員など。

● 英治出版からのお知らせ
本書に関するご意見・ご感想をE-mail（editor@eijipress.co.jp）で受け付けています。
また、英治出版ではメールマガジン、Webメディア、SNSで新刊情報や書籍に関する記事、イベント情報などを配信しております。ぜひ一度、アクセスしてみてください。

メールマガジン　：会員登録はホームページにて
Webメディア「英治出版オンライン」　：eijionline.com
X / Facebook / Instagram　：eijipress

私たちは子どもに何ができるのか
非認知能力を育み、格差に挑む

発行日	2017年　9月10日　第1版　第1刷 2024年　12月24日　第1版　第14刷
著者	ポール・タフ
訳者	高山真由美（たかやま・まゆみ）
まえがき	駒崎弘樹（こまざき・ひろき）
発行人	高野達成
発行	英治出版株式会社 〒150-0022 東京都渋谷区恵比寿南1-9-12 ピトレスクビル4F 電話　03-5773-0193　　FAX　03-5773-0194 www.eijipress.co.jp
プロデューサー	下田理
スタッフ	原田英治　藤竹賢一郎　山下智也　鈴木美穂　田中三枝　平野貴裕 上村悠也　桑江リリー　石﨑優木　渡邉吏佐子　中西さおり 関紀子　齋藤さくら　荒金真美　廣畑達也　太田英里　清水希来々
印刷・製本	中央精版印刷株式会社
装丁	竹内雄二
校正	小林伸子

ISBN978-4-86276-246-7　C0030　Printed in Japan